Le garçon qui rêvait de requins

Titre original : *Wish*
Copyright © 2010 by Joseph Monninger
© Flammarion pour la traduction française, 2012
87, quai Panhard-et-Levassor – 75647 Paris Cedex 13
ISBN : 978-2-0812-7189-0

JOSEPH MONNINGER

Le garçon qui rêvait de requins

Traduit de l'anglais (États-Unis)
par Marie Hermet

Flammarion [TRIBaL]

À Sandee et Casey Bisson

Pour Sacha, qui n'a pas encore l'âge de Ty
et déjà plus celui de Little Brew,
mais qui leur ressemble comme un frère.
Dédicace du traducteur

« Le seul remède à l'amour c'est d'aimer encore. »

Henry David Thoreau

« Je crois que tout jeune est implicitement fasciné soit par les dinosaures, soit par les requins. »

Peter Benchley,
auteur du roman *Les Dents de la mer*

VENDREDI

Nous avions quitté le New Hampshire depuis une heure à peu près quand l'hôtesse de l'air est venue nous voir. D'un ton hyper enthousiaste, elle a dit que notre maman venait de lui raconter le but de notre voyage. Alors, comme ça, nous allions en Californie pour observer un grand requin blanc ? Justement, quelle coïncidence, elle avait un cousin, plongeur professionnel, qui avait vu des requins, beaucoup de requins, mais jamais de grand blanc ! Elle ouvrait de grands yeux comme si elle s'adressait à un chien bien dressé pour nous demander si nous n'étions pas morts de peur ; et son cousin plongeait aux Caraïbes, ou peut-être dans les îles Caïmans, est-ce que nous connaissions les îles Caïmans et est-ce que nous savions quelle sorte de requins on trouve là-bas ?

— Requins à pointe noire et requins corail ou requins de récifs, a répondu mon frère Tommy. Peut-être aussi des requins tigres et des bouledogues. Oui, sûrement des requins bouledogues.

Comme il a le souffle court, sa voix ressemble à celle d'un vieil homme, un vieil homme très petit. J'ai approuvé d'un signe de tête et je l'ai laissé poursuivre sa conversation sur les requins. Du coin de l'œil, je surveillais maman qui s'était arrêtée vers le milieu de l'allée centrale pour parler à un type en costume gris. Elle affichait son sourire le plus éclatant, celui qu'elle plaque sur son visage quand elle parle à des hommes inconnus, mais son long jupon hippie à volants ne collait pas vraiment avec le costume gris. Elle avait tout faux et elle ne s'en rendait même pas compte, elle ne s'en rendait *jamais* compte, même si le type l'avait probablement déjà étiquetée pour ce qu'elle était, une femme qui se montre trop amicale avec des inconnus, une femme qui s'arrête entre les rangées de sièges pour saluer un *boyfriend* en puissance, sans remarquer qu'elle gêne le passage et que les gens s'impatientent en piétinant derrière elle. Une femme qui en fait trop, et qui veut tout trop vite.

Notre mère, Grace.

Grace Ouroussof.

Elle a repris son nom de jeune fille quand notre père nous a quittés. Il était chauffagiste pour la Dead River Company, une entreprise installée près de chez nous à Warren, dans le New Hampshire. J'avais quatre ans quand il est parti. Je ne me souviens pas de grand-chose, sauf que ses mains sentaient la colle et le fer à souder, et qu'il portait accroché à la ceinture un canif multifonctions dans un étui orné d'une figure de tigre. Il s'appelle Winterson. C'est pourquoi nous sommes Tommy et Bee (l'abréviation de Béatrice) Winterson, les enfants d'une mère qui porte un nom russe. Le problème, c'est qu'elle n'a pas l'air russe du tout ; ses parents étaient des émigrés de la deuxième génération, en partie hongrois qui plus est. De temps en temps, ils se faisaient des crêpes aux pommes de terre et d'autres recettes russes complètement loufoques, surtout à base de chou qu'il fallait faire bouillir dans plusieurs casseroles. Et ils avaient une vraie passion pour la fête de Pâques.

Dans l'avion, notre mère flirtait donc avec Businessman Bob – j'avais décidé de l'appeler Bob –, la hanche appuyée contre le bord du siège, en rejetant la tête en arrière et en lui touchant l'épaule. Sa voix est si haut perchée qu'elle attire l'attention de tout le monde. Je ne pensais pas qu'elle allait nous présenter : ç'aurait été admettre auprès de Businessman qu'elle avait une fille de quinze ans et un fils de onze. Il n'aurait pas besoin de longtemps pour faire le calcul. En plus, le nombre de types qui rêvent d'une relation avec une femme déjà mère de deux enfants est relativement restreint ; la plupart de ceux qu'elle a connus se sont enfuis dès qu'ils nous ont aperçus. Dans ces cas-là, maman se met au lit avec un rouleau de papier essuie-tout, en marmonnant que rien de tout ça n'a d'importance, mais qu'elle a vraiment une vie de chien et qu'elle ne méritait vraiment pas d'être aussi malheureuse.

Mais à quarante mille pieds d'altitude, en route vers la Californie, elle éclatait de rire à côté de Businessman Bob qui avait commandé des *drinks* dans de petites bouteilles, et tout le monde était obligé de s'aplatir contre la rangée de sièges opposée pour passer. Les passagers qui essayaient de dormir fronçaient les sourcils en se retournant pour trouver une position pas trop inconfortable contre l'appuie-tête.

*

L'hôtesse de l'air s'est penchée vers moi. En dépit de son fond de teint trop foncé qui laissait une démarcation près des oreilles, elle était jolie. Bizarrement, elle me faisait un peu penser à une chambre de motel, banale mais charmante si on la voit dans la bonne lumière. Elle sentait la crème hydratante et le parfum. Je voyais qu'elle s'efforçait de faire écran entre notre mère et nous ; comprenant très bien que maman avait l'intention de séduire Businessman, elle cherchait à nous protéger. Elle paraissait aussi sincèrement intéressée par notre histoire de requins. Le badge épinglé sur son uniforme indiquait son nom : *Charlene*. Quand Tommy a eu terminé son exposé, elle a demandé :

— Votre mère m'a dit que c'était la première fois que vous preniez l'avion, tous les deux. Alors, vos impressions ?

— Jusque-là, c'est sympa, j'ai répondu.

— Vous allez au lycée, je suppose ; ça vous plaît ?

— Pas mal.

— Je parie que vous êtes bonne élève...

— Elle est déléguée de classe, annonça Tommy. Elle n'a jamais aucune note en dessous de 16.

Ce n'était pas entièrement exact, en fait : j'étais déléguée l'année dernière, en troisième, et je me représentais cette année.

— Impressionnant ! Vous visez des études supérieures alors, Bee ?

J'ai hoché la tête.

— Je voudrais aller à l'université de Dartmouth, dans le New Hampshire.

— Elle fait les mots croisés du *New York Times* tous les week-ends, ajouta Tommy, qui adore me mettre dans l'embarras. Et elle est rédactrice pour le journal du lycée. Et elle sait peler une pomme sans jamais déchirer la peau, et rester debout dans la position du corbeau pendant cinq minutes. C'est une posture de yoga : il faut se pencher en avant et tenir en équilibre sur les mains.

— Je connais la position du corbeau, waouh ! Elle n'est pas facile !

J'intervins en lançant un sale regard à Tommy.

— Ce n'est pas aussi dur que ça en a l'air.

— Peut-être pas pour vous, mais moi, j'ai déjà du mal à faire la position du chien ! Je suis débutante en yoga. En tout cas, on dirait bien que vous savez ce que vous voulez faire de votre vie, Bee.

— Le dernier jour de l'année scolaire, Bee savait déjà ce qu'elle allait mettre pour la rentrée prochaine ! a ajouté Tommy, et c'est vrai, en plus !

Quand Charlene a demandé à Tommy ce qu'il allait faire exactement à San Francisco, il lui a sorti le petit discours qu'il répète depuis qu'il a entendu parler du programme Blue Moon : il veut pouvoir plonger pour observer les grands requins blancs de près. Un groupe de gens bien intentionnés a monté cette fondation qui sélectionne des enfants malades pour leur offrir de réaliser leur rêve, avant qu'ils soient trop affaiblis pour en profiter. Maman a envoyé un dossier de candidature pour Tommy, et comme Tommy est atteint de mucoviscidose et qu'elle est seule pour l'élever, elle a reçu une réponse tout de suite. Plus tard, notre pasteur, le révérend Pael, nous a appelés pour raconter qu'il avait été contacté à notre sujet ; la fondation lui demandait des précisions sur « notre situation ». Il leur a donné son « feu vert sans restrictions » – c'est le genre de terme qu'il utilise, parce que notre révérend est un simplet qui adore s'écouter parler.

— Mais c'est génial ! s'est écriée Charlene en nous regardant tous les deux, c'est tout simplement fantastique ! Et vous n'aurez pas peur d'entrer dans l'eau avec les grands requins blancs ?

— Je serai dans une cage anti-requin, a répondu Tommy.

— Oui, mais quand même, tu es courageux.

C'est le genre de choses que les gens disent à Tommy, comme si être audacieux ou courageux ou brillant pouvait compenser le fait qu'il est atteint de mucoviscidose. Ils s'imaginent que la balance du hasard a été tellement chargée contre lui qu'il faut empiler tout ce qu'on peut trouver de l'autre côté, pour compenser. Ils s'imaginent que Tommy ne va pas remarquer que c'est du bidon. Je me suis contentée de sourire poliment. Là-bas, je voyais ma mère écrire quelque chose sur un bout de papier. Elle l'a tendu à Businessman, et m'a jeté un coup d'œil en me faisant un petit signe discret de la main. J'en ai fait autant.

TOMMY INFO SUR LES REQUINS # 1 : Un grand blanc est capable de relever la tête hors de l'eau pour apercevoir les phoques sur le littoral ou les gens dans leurs bateaux. C'est la seule espèce de requins connue pour ce genre de comportement.

*

Quelque part au-dessus des Rockies, l'avion a été secoué par des turbulences. J'avais dû m'endormir, parce que quand j'ai émergé, j'avais la tête de Tommy sur les genoux. Il respirait mal. Il avait le visage tourné vers l'avant et je ne voyais pas son expression, mais ses poumons faisaient le bruit d'une pompe à eau qui manque de pression. J'ai écouté en cherchant à évaluer à quel point il en était. Ses poumons se remplissent régulièrement d'un mucus épais qui est un terrain de jeux parfait pour toutes les bactéries. Les désencrasser est presque impossible. Toute ma vie, j'ai entendu le bruit pénible qu'il fait en respirant. On dirait qu'il cherche quelque chose qu'il n'atteindra jamais.

Les lumières intérieures de la cabine étaient en veilleuse, et notre mère n'était pas dans son siège, juste devant nous. J'ai regardé sur le côté pour voir si elle s'était glissée près de Businessman, mais lui non plus n'était pas à sa place. L'avion a fait une embardée du genre qui vous retourne complètement l'estomac, et Tommy s'est relevé. Une traînée de bave argentée barrait sa joue comme une cicatrice.

Il a secoué la tête en me regardant droit dans les yeux.

Il fait ça quand il ne peut plus respirer.

— Prends ton inhalateur, j'ai dit.

Il a encore secoué la tête.

Cela veut dire qu'il ne sait plus où il l'a mis. Il le perd sans arrêt. Il a onze ans, et il perd tout ce qu'on lui donne.

J'ai sorti de ma poche celui que je garde toujours sur moi. *Pulmozyme.* Pour rendre les expectorations moins visqueuses. J'en ai aussi une douzaine en permanence dans tous les coins de notre appartement. Parfois, ça m'inquiète de savoir qu'il dépend tellement de moi pour son inhalateur : il perd le sien parce qu'il sait que je le couvre toujours. Mais la question ne se pose pas vraiment : il en a besoin, c'est tout. Je le lui ai donné.

— Tiens.

Il l'a mis dans sa bouche, a appuyé sur le bouton et a respiré. L'avion a plongé et vibré encore une fois. Tommy a toussé brusquement, d'une vilaine toux, puis il a respiré trois fois par le nez et a repris une bouffée de son inhalateur. Je le surveillais de près. L'avion a repris une course normale.

— Ça va mieux ?

Il a hoché la tête.

— Tu respires bien ?

— Ça va. Merci, Bee.

Je me suis levée pour chercher son gilet dans le casier à bagages au-dessus de nos têtes. Deux fois par jour, il est obligé de porter ce gilet vibrant qui lui masse la poitrine et qui aide à fluidifier les mucus. C'est vraiment crade quand on y pense, mais avec Tommy, on cesse assez vite de penser à ce qui est crade et à ce qui ne l'est pas. Il faut s'occuper de lui, voilà tout. Si on ne le fait pas, il meurt.

Je l'ai aidé à enfiler son gilet, et j'ai bien fermé les attaches en Velcro. Ce truc coûte dix mille dollars. Une fois branché, il bourdonne comme un sèche-cheveux. Ma mère cite souvent le prix pour impressionner les gens, mais ce n'est pas elle qui l'a payé. Son salaire de serveuse au restaurant *Morningside* de Bristol ne suffirait jamais à acheter un objet aussi cher. C'est Medicaid, ou l'Aide sociale, ou peut-être un organisme d'État pour les enfants malades, qui a pris les frais en charge.

J'ai surveillé Tommy une minute pour m'assurer que le système fonctionnait correctement. J'essayais d'imaginer l'effet que ça peut faire d'être obligé de porter un truc qui vous fait vibrer les poumons pour respirer. Quand il le porte, il regarde dans le vague, en mettant les mains en avant comme s'il voulait repousser quelqu'un. Comme s'il voulait dire à tout le monde de lui laisser son espace. Je me demande s'il sent ses poumons se dégager ou s'il a juste l'impression d'être enfermé dans l'un de ces globes en plastique remplis de fausse neige qu'on secoue pour voir les flocons tomber.

TOMMY INFO SUR LES REQUINS #2 : À l'âge adulte, les femelles des grands blancs sont plus grosses que les mâles. Personne ne sait exactement pourquoi. Les grands blancs chassent les mammifères marins, surtout les phoques et les lions de mer. Ils patrouillent près des colonies de phoques comme des sentinelles. Dès qu'un phoque se jette à l'eau, le requin s'en approche par-dessous en restant en profondeur, pour attendre le moment propice à l'attaque. Comme la plupart des prédateurs, les requins tendent des embuscades à leurs proies. Leur dos est d'une teinte plus foncée que leur ventre, ce qui leur permet de passer inaperçus contre les fonds marins. Quand ils foncent brusquement vers la surface, ils entrent en collision avec le phoque comme le ferait un quinze tonnes. Habituellement, une seule morsure suffit. Souvent, ils décapitent le phoque et le laissent saigner dans la mer comme un tube d'aquarelle débouché. C'est à ce moment-là que les autres requins se précipitent et offrent aux spectateurs ce ballet d'ailerons fendant l'eau qui captive et horrifie à la fois. Dès que le phoque a cessé de se débattre, il est dévoré en quelques bouchées. Le sang s'étale sur l'eau, et les mouettes se précipitent pour profiter des restes.

*

Ma mère dit que la fascination de Tommy pour les requins n'est rien d'autre qu'une fascination pour sa maladie. Elle est sûre que Tommy se voit comme un phoque, et que le requin, pour lui, c'est cet éclair qui surgit des profondeurs comme une menace de mort. Parfois, j'apprécie les métaphores de ma mère, mais pas toujours. Dans certains cas, je les trouve vraiment pourries. Tommy ne porte pas un requin dans la poitrine : il a juste un filtre bouché. Maman ne voit pas les choses de cette façon.

Je crois que c'était papa qui avait du sens pratique pour deux. Il était capable de réparer n'importe quoi ; les gens l'appelaient le week-end pour de petits travaux. Il ne faisait jamais payer les amis, ce qui rendait maman dingue. Quand j'observe ses photos, je vois deux hommes différents : celui du dimanche, propre et pas très à l'aise dans ses vêtements corrects, et celui des autres jours. Il se promenait partout en bleu de travail, une casquette de baseball à l'emblème des Boston Red Sox vissée sur la tête. Il sifflait tout le temps. J'adorais l'entendre siffler ; c'est l'un de mes rares souvenirs de lui. Il sifflait juste. On l'entendait sans arrêt aller et venir ; les outils bringuebalaient bruyamment dans son camion, ses clés cliquetaient à sa ceinture, ses grosses bottes raclaient le plancher. Maman est du genre évanescent, mais papa lui servait d'ancre. Parfois, j'entends un homme siffler, et je me dis que c'est peut-être lui qui revient. Ce n'est jamais lui. Maman pense qu'il a dû partir vivre en Floride, ce qui est une drôle d'idée pour un chauffagiste.

M. Cotter, le responsable du projet Blue Moon, nous attendait à l'aéroport de San Francisco.

Avant de remarquer ses yeux, je lui donnais environ cent ans, mais son regard perçant m'a fait changer d'avis. Ses yeux étaient du même bleu qu'une piscine au soleil ; il portait un chapeau de paille à liseré et une chemise à col ouvert qui laissait voir son débardeur et la plaque d'identité militaire qu'il portait au cou. Il avait apporté une casquette de baseball pour Tommy, une casquette ornée d'un aileron de requin. J'ai jeté un coup d'œil vers mon petit frère et j'ai vu que cette casquette lui brisait le cœur, mais maman s'en est emparée tout de suite pour la lui enfoncer sur la tête. Ça lui donnait vraiment l'air idiot. Il déteste que les gens fassent de sa passion des requins quelque chose d'infantile et de ridicule. Mes yeux se sont remplis de larmes en le voyant, et j'ai détourné la tête. Le pauvre môme était enfin arrivé là où il avait toujours rêvé d'aller, lui qui pas une fois dans sa vie n'avait pu respirer normalement, et en cet instant de pur bonheur, il fallait que quelqu'un lui mette sur la tête un objet ridicule qui gâchait tout. M. Cotter ne pouvait pas le savoir ; il pensait sans doute être drôle, et Tommy, qui pèse moins de quarante kilos et dont les poumons sont remplis de crasse, l'a remercié poliment et a gardé la casquette sur la tête comme un champion.

— Vous êtes contents, les amis ? a demandé M. Cotter.

— Oh, oui ! Nous ne parlons que de ce voyage depuis des semaines ! s'est écriée maman.

— Nous vous avons préparé une sacrée aventure, poursuivit M. Cotter. Le temps sera beau demain ; notre capitaine pense que les conditions idéales seront réunies pour notre sortie en mer. Et nous aurons de la compagnie : il y aura d'autres enfants, ce sera encore plus intéressant !

Il a fait un geste d'un autre âge pour nous guider vers la sortie, la main ouverte devant lui comme s'il voulait nous faire admirer un tapis précieux.

— Quels autres enfants ? a demandé Tommy.

— Oh, un petit groupe d'amoureux des requins, tu verras.

Dès cet instant, j'ai su que notre grande aventure ne serait pas celle que Tommy avait imaginée. Et j'ai vu qu'il le savait lui aussi. Je l'ai regardé marcher devant moi, avec son aileron gris ridicule qui dépassait au-dessus de son sac à dos, et je l'ai rattrapé pour lui poser une main sur l'épaule. Il m'a regardé et il a souri. Ce sourire m'a bouleversée. J'avais envie de dire à M. Cotter d'arrêter tout ; je voulais lui dire qu'il n'avait pas le droit de gâcher le seul rêve de ce gamin en le transformant en une espèce de sortie minable à Disneyland. Ce n'était pas ça qu'il voulait. Seulement, Tommy, lui, n'en dirait jamais rien. Il en a déjà trop enduré dans la vie, il en attend trop peu, et il acceptera tout ce qui va encore lui arriver sans se plaindre.

J'ai jeté un coup d'œil vers ma mère, qui m'a rendu mon regard en souriant. Elle s'était remis du rouge à lèvres avant de débarquer, et son visage s'illuminait de plaisir. Pour elle, ce voyage était une aventure de quatre jours tous frais payés en Californie ; elle ne voulait pas voir le moindre détail le gâcher. Elle détourna la tête et se rapprocha de notre guide en marchant vite dans sa jupe légère qui virevoltait au soleil. De son point de vue, nous n'étions rien d'autre qu'une famille en vacances. Elle l'appréciait d'autant plus que dans notre famille, personne n'avait jamais pris de vacances et personne n'en reprendrait de sitôt.

M. Cotter nous conduisit jusqu'à une grosse Cadillac noire garée devant la porte des arrivées.

La voiture avait au moins vingt ans, mais elle était tellement impeccable qu'elle paraissait neuve. Nous avons rangé nos sacs dans le coffre immense, et maman s'est assise à côté du conducteur. Même avec un vieillard comme notre guide, elle trouvait le moyen de flirter un peu. Tommy et moi nous sommes glissés à l'arrière. Maman racontait qu'elle connaissait déjà la Californie, mais seulement le sud, du côté de San Diego, et blablabla...

Du coin de l'œil, je surveillais Tommy. Il paraissait épuisé par le voyage, mais il se penchait en avant comme pour ne rien rater de ce qui se passait autour de lui. M. Cotter expliquait qu'il nous avait réservé une chambre sur Fisherman's Wharf, puis il demanda à Tommy s'il connaissait Joe DiMaggio. Joe D., comme disait notre guide, était né à San Francisco ; il avait joué pour une équipe de baseball locale, les Seals, avant de rejoindre les Yankees. Tommy s'intéresse autant à Joe DiMaggio que moi au Père Noël, mais il a hoché poliment la tête en prenant l'air captivé.

Le silence s'est établi, comme cela arrive facilement dans une voiture. Personne ne trouve rien à dire, tout le monde est fatigué, alors on se tait pendant de longues minutes et on se contente de regarder la route en posant sa tête contre la portière. Je ne savais pas du tout où nous étions. M. Cotter conduisait tranquillement ; j'ai senti une grande paix m'envahir et j'ai pris la main de Tommy.

Quand nous sommes arrivés devant l'hôtel, le *Hyatt* de Fisherman's Wharf, maman a demandé dans quelle direction se trouvait Oakland, et si c'était loin. J'étais encore à moitié dans la voiture, et ça m'a pris une seconde pour comprendre de quoi elle parlait. Évidemment. Business Bob devait être d'Oakland. Elle a posé sa question d'une voix distraite, comme si elle se passionnait pour la géographie et qu'elle voulait simplement se repérer. M. Cotter est tombé dans le panneau. Les vieux messieurs adorent donner des indications cartographiques : il lui en a donné pour son argent. C'était presque drôle. J'ai pris nos sacs que j'ai posés près de la porte et un bagagiste est tout de suite venu les mettre sur son chariot. Je ne savais pas si ce genre de service était couvert par notre bourse Blue Moon, et s'il allait falloir ou non lui donner un pourboire, mais je l'ai laissé faire. M. Cotter arrivait au bout de ses explications, tous nos bagages étaient déchargés ; il était temps d'arracher ma mère à son hôte.

— Maman, je crois que Tommy est fatigué.

Elle a acquiescé d'un signe de tête ; elle aussi était fatiguée. Nous l'étions tous.

M. Cotter a compris où je voulais en venir. Il a annoncé qu'il viendrait nous chercher à cinq heures le lendemain matin, et a tendu une enveloppe à ma mère, « pour les frais ». Puis il a tapoté l'épaule de Tommy et s'est dirigé vers sa Cadillac. Avant de démarrer, il nous a encore fait un signe de la main.

*

C'est moi qui avais aidé Tommy à écrire sa lettre de motivation pour la fondation Blue Moon.

M. Burns, son professeur d'anglais au collège de Pemigewasset, l'a conseillé pour la version finale. L'orthographe et la grammaire sont meilleures que s'il l'avait écrite tout seul, mais c'est bien sa voix qu'on entend dans la lettre.

J'ai une mucoviscidose.

Deux fois par jour (au minimum) je porte un gilet vibrant qui me masse les poumons, et après, en général, je me sens mieux, mais pas toujours.

J'ai aussi des problèmes digestifs à cause d'une déficience du pancréas. Mon corps n'absorbe pas les graisses comme celui des autres gens, alors je dois prendre une pilule d'enzymes de remplacement avec chaque repas. Je prends aussi des vitamines A et D, parce que j'en manque en permanence, mais je ne grossis toujours pas. Je suis maigre, on voit mes os et ma tête paraît trop grosse par rapport au reste du corps. Je ne le dis pas pour qu'on me prenne en pitié et qu'on m'explique que tout va bien : je me suis assez regardé dans la glace pour savoir que c'est la vérité. Je ressemble un peu à un Martien, d'autant plus que j'ai de gros yeux. Les autres enfants m'appelaient la Grenouille quand j'étais plus jeune, mais les professeurs leur ont interdit de continuer. Certains enfants m'appellent E.T.

Pour résumer, je suis trop petit pour mon âge, et je dois faire attention à ce que je mange. Les laitages par exemple sont à éviter parce qu'ils augmentent la sécrétion de mucus. Le vrai problème, c'est que mon espérance de vie est diminuée de moitié par rapport à la normale. Je devrais pouvoir vivre jusqu'à la trentaine ou peut-être la quarantaine, et j'ai onze ans ; c'est-à-dire qu'un tiers de ma vie est déjà passé. Il n'est pas sûr que je puisse avoir des enfants : certains experts pensent que les gens porteurs de ma maladie ne doivent pas risquer de transmettre leurs gènes. Chaque cellule de notre corps contient vingt-deux paires de chromosomes et une paire de chromosomes sexuels. Le gène responsable de la mucoviscidose se fixe sur le chromosome 7. Environ une personne sur vingt-deux

est porteuse du gène mutant de la mucoviscidose sur l'un de ses deux chromosomes 7. Ces
personnes sont ce qu'on appelle des porteurs
sains ; ils n'ont aucun symptôme. Quand les
deux parents sont porteurs sains, leurs enfants
ont une chance sur quatre d'être atteints de la
maladie et une chance sur deux d'être porteurs.
Ils n'ont qu'une chance sur quatre d'être tout à
fait sains.

La fondation Blue Moon est l'une des
meilleures choses qui existent dans la vie d'enfants comme moi. Elle nous donne de l'espoir.
Je voudrais plonger au milieu de grands requins
blancs parce qu'ils sont les plus grands prédateurs marins et qu'ils me fascinent. Évidemment,
j'adore les histoires comme Les Dents de la mer
et La Semaine des requins, mais j'aime aussi
étudier la biologie marine. Les requins appar-
tiennent à une catégorie d'êtres vivants parmi les
plus anciennes, et moi à l'une des plus jeunes ;
c'est pourquoi j'ai beaucoup à apprendre d'eux.
Quand un requin nage dans la mer, il nage aussi
dans le temps. Je suppose que nous en sommes
tous là, mais les requins y sont depuis plus longtemps que nous.

Je vis à Warren, New Hampshire, avec ma
mère Grace et ma sœur Béatrice. Ma mère nous
élève seule. Ma sœur s'occupe beaucoup de moi.
Elle est la meilleure élève de sa classe et aussi

déléguée au lycée Woodsville. Moi, je vais au col-
lège Pemigewasset, et je suis dans la moyenne,
pas plus, parce que je manque beaucoup de
cours quand j'ai des problèmes avec ma mucovis-
cidose. Ce n'est pas pour trouver des excuses que
je le dis, c'est parce que c'est un fait. Pendant
mon temps libre, je surfe sur Internet, surtout
sur les sites et les chats dédiés aux requins.

Être un jour au fond de l'océan avec un
requin, un grand blanc, près des côtes califor-
niennes, c'est mon rêve le plus fabuleux. J'espère
que vous prendrez ma candidature en considéra-
tion, mais je suis sûr qu'il y a des tas d'enfants
plus malheureux que moi, et je comprendrai si
ce n'est pas possible de me décerner une bourse
pour réaliser mon rêve.

*

Observations sur Fisherman's Wharf :

1. C'est un piège pour touristes.

2. Si vous êtes à San Francisco, vous ne
pourrez pas ne pas y aller. Dans toute la ville,
on vous indique le chemin vers Fisherman's
Wharf, peut-être parce que c'est là que finis-
sent les collines, ou parce qu'on y sent l'odeur
de l'océan. Près de chez nous à Portland, dans
le Maine, il y a aussi des quais, mais plus petits
et nettement moins intéressants.

3. Puisque c'est un port, il y des bateaux amarrés, des pêcheurs qui poussent des chariots pleins de poissons et des gens qui vendent la marée sur le quai. Ils le font pour les touristes mais aussi en vrai, parce que c'est leur métier. La proportion de vérité et de cinéma est à peu près 50/50.

4. Il est tout à fait faisable de dépenser un million de dollars en vêtements dans les boutiques. Il y a plus de magasins de fringues à San Francisco que dans tout le New Hampshire, et tout est très stylé. Les gens se promènent entre les magasins avec des *smoothies* et des cafés incroyables à la main. Il n'y a rien d'autre à faire sur Fisherman's Wharf, à part manger bien sûr.

5. Certains soirs il y a une telle foule qu'on ne peut plus passer et que ça crée de vrais embouteillages. En octobre, ça va, c'est assez calme. On ne voit pas vraiment les étoiles, sauf à l'horizon, loin des lumières de la ville.

6. Des milliers de jeunes se baladent, la plupart en skateboard. C'est toute une *street culture* locale qui se mélange aux masses de touristes.

7. Les brochures disent qu'on peut dîner chinois et que c'est très bon, mais nous n'avons pas vu un seul restaurant chinois.

8. Les quais sont en bois brut plein d'échardes, mais on voit beaucoup de gens marcher pieds nus. C'est idiot.

9. Nous sommes à trois mille miles du New Hampshire, plus de quatre mille huit cents kilomètres.

10. Ici, le soleil se couche sur l'océan. Dans le New Hampshire, il se couche sur les montagnes. Avec ma classe, nous sommes allés à Cadillac Mountain, dans le Maine : c'est le point où le soleil se couche le plus tôt des quarante-huit États continentaux. C'est drôle de penser que le soleil traverse tous les États-Unis pour venir se coucher ici, dans l'océan Pacifique. Enfin, je sais bien que le soleil ne voyage pas vraiment, que c'est nous qui tournons, mais si c'était une partie de golf, la côte est serait le *tee*, et San Francisco le trou.

Maman a acheté notre dîner chez un vendeur de crabes. Le dépliant de l'hôtel clame que les marchands de crabes sont la « raison d'être » de Fisherman's Wharf. Au départ, les gens du coin venaient ici pour voir les pêcheurs ramener leurs filets, et petit à petit les touristes sont venus de plus en plus nombreux. Maintenant, des bateaux vous font traverser la baie jusqu'à la célèbre prison d'Alcatraz, et passer sous le Golden Gate Bridge. Si vous tenez un billet d'un

dollar à la main, vous trouverez dix personnes
pour vous aider à le dépenser.

Nous avons dégusté nos crabes en plein air,
assis sur des tabourets. C'était plaisant d'être
dehors à la nuit tombée. Maman était de bonne
humeur. Pour une fois, nous avions de l'argent.
Elle m'a montré l'enveloppe que M. Cotter lui
avait donnée : elle contenait mille dollars en
billets de vingt. Nous étions une famille comme
les autres. Tommy avait l'air heureux. Il n'a rien
dit au sujet des autres enfants qui seraient sur
le bateau le lendemain, ou de ce que leur présence allait changer. S'il se demandait quelles
seraient ses chances de plonger au milieu des
requins, il n'en parlait pas. Il était tout à son
crabe, à ses frites et à son soda, et je voyais
presque ses poumons se détendre au contact
de l'air marin.

Moi aussi, je me sentais bien. Le lycée
paraissait à mille lieues de nous. Dans le New
Hampshire, en octobre, les arbres deviennent
rouges et la fumée des feux de bois s'élève dans
le ciel bleu. Ici, c'était très différent : tout le
monde paraissait détendu, en vacances ; la vie
semblait plus facile qu'ailleurs. J'ai pensé à mes
amies, Jill, Marcie et Maggie, mais j'avais laissé
mon téléphone à la maison pour ne pas être
tentée de leur envoyer des messages. C'était
le voyage de Tommy, et je m'étais juré de lui

donner toute mon attention, sans partage. Je ne voulais pas non plus commencer à m'inquiéter au sujet des devoirs à faire, ni penser aux clans et sous-clans du lycée, ni à la demi-douzaine de garçons idiots qui nous tournaient autour. Tout ça n'avait plus aucune importance. J'ai ajusté mon pull sur mes épaules et j'ai inspiré à fond, avec l'impression de ne pas avoir respiré aussi librement depuis des mois. Sachant que j'ai en permanence les épaules crispées, j'ai fait un effort pour me tenir droite et souple. J'ai fini mon soda en faisant une grimace qui fait toujours rire Tommy ; je me suis mise à loucher horriblement pour lui montrer que j'avais tellement aspiré avec ma paille que j'en avais les yeux de travers. Dans ces cas-là, on s'amuse à grogner comme des hommes des cavernes, mais Tommy a levé la main pour me faire signe de ne pas faire de bruit. Il a tourné la tête vers le port.

Il avait entendu quelque chose.

— Les phoques !

Il s'est levé et s'est mis en marche.

Jamais je ne l'avais vu bouger aussi vite, ni avec autant de détermination. Maman a eu la même impression que moi, parce qu'elle l'a appelé pour lui dire de nous attendre ; il n'y a pas fait attention. Heureusement, elle avait déjà réglé la note. Je me suis levée pour le suivre, maman derrière moi. Tommy ne s'est pas retourné. Je dressais l'oreille pour entendre ce qui l'intéressait tellement ; c'était un bruit bizarre qui ressemblait à un aboiement. Tommy allait la tête levée, le dos droit. Lui qui marchait toujours replié sur lui-même, comme conscient du poids de ses poumons malades, paraissait se déplier maintenant, à l'affût, ou à l'arrêt, comme disait l'oncle George en parlant de ses chiens de chasse.

Tommy ne s'est pas retourné pour voir si nous l'avions suivi. En arrivant au bord du quai 39, il n'a pas dit « Là-bas ! » ou « Regardez ! » Il s'est seulement arrêté contre la rambarde métallique, et il a laissé son regard errer devant lui.

Quand j'ai aperçu moi aussi les lions de mer installés sur les docks, je me suis souvenue avoir vu cent fois la scène à la télévision ou sur des cartes postales. Je n'avais jamais pensé qu'ils existaient vraiment. Il y en avait partout. Leur corps flasque s'étalait sur les dalles, leur fourrure humide luisait au soleil. Deux mâles dressés face à face se sont mis à aboyer avec fureur. D'autres leur répondaient depuis des docks éloignés. Les badauds pointaient du doigt en s'exclamant, les appareils photo cliquetaient dans des éclairs de flash. Tommy se contentait de regarder.

— Oh, les phoques ! s'écria maman. Tommy, ne te sauve plus comme ça, s'il te plaît.

Il a hoché la tête sans rien dire.

Maman a fouillé dans son sac à la recherche de l'appareil photo qu'elle avait emprunté à tante Carol. Il lui a fallu un moment pour le sortir, vérifier son fonctionnement et faire la mise au point, puis elle nous a demandé de nous rapprocher. Elle voulait un portrait de nous avec les phoques en arrière-plan, et elle pensait avoir trouvé l'angle idéal.

Je me suis tournée vers elle, mais pas Tommy. Elle a insisté.

— Tommy ?

Il n'a pas bougé.

— Tommy ?

Il a fait *non* de la tête.

Maman m'a jeté un regard ; j'ai haussé les épaules. Tommy refusait de changer de place. Elle a fait un demi-cercle pour essayer de le voir de profil, mais il s'est caché derrière moi sans détourner les yeux du spectacle. Il avait accepté la casquette requin et l'avait portée gentiment ; il avait appris sans broncher que d'autres enfants se joindraient à nous sur le bateau. Il n'avait pas protesté, mais maintenant qu'il avait les lions de mer sous les yeux, les vrais, ceux qui constituent la nourriture de prédilection des requins, personne n'allait lui gâcher son plaisir. Il n'avait pas besoin de me l'expliquer : je le savais. Il ne voulait pas se montrer désagréable envers maman, mais il ne voulait pas non plus que le voyage de ses rêves devienne une bête carte postale, le souvenir d'un divertissement familial. Et parce qu'il avait du mal à s'exprimer, parce que c'était Tommy, il réagissait de la seule manière possible, le silence. Il avait enfin réussi à toucher le monde des requins, et il se refusait à l'amoindrir, si peu que ce soit. C'est peut-être fou de tant tenir à quelque chose, mais ça ne l'arrêtait pas. Je l'ai beaucoup admiré, à ce moment-là.

Maman a un peu protesté en marmonnant qu'elle ne savait pas pourquoi il faisait tant d'histoires, mais elle a laissé tomber ses photos et s'est mise à regarder les phoques elle aussi. De temps en temps, elle faisait une observation, quand elle les voyait faire quelque chose qu'elle trouvait mignon. Au bout d'un moment, elle a annoncé qu'elle avait besoin d'un café et qu'elle revenait tout de suite. Je l'ai suivie des yeux, puis je me suis penchée vers Tommy.

— Raconte-moi les lions de mer, j'ai demandé.

Il m'a laissée lui prendre la main.

— Les mâles pèsent environ quatre cents kilos, a-t-il dit d'une voix basse et assurée que j'avais rarement entendue. Les femelles sont beaucoup plus petites. On les trouve tout au long de la côte ouest. Ils peuvent nager jusqu'à vingt-cinq miles à l'heure. Quand l'envie leur en prend, ils s'amusent à flotter et à jouer dans l'eau. Je ne sais plus si leurs oreilles se ferment quand ils plongent, mais il me semble bien que oui. Ils mangent les rascasses, les morues, les colins et tous les poissons de roche. Et quand ils se déplacent, ils avalent les petits poissons et les calmars. Leur nom scientifique, c'est *Zalophus californianus*.

J'ai senti les larmes me monter aux yeux. Quel môme frappé il faut être pour savoir tout ça... Combien de jours et de mois avait-il étudié le sujet avant de venir jusqu'ici ?

— Et les requins ?

— Ils pourraient très bien être ici, ou là, a-t-il dit en faisant un signe du menton. Demain, nous n'aurons pas besoin d'aller loin. Les requins patrouillent près des colonies de lions de mer comme celle-ci ; ils attaquent les jeunes, et même parfois les gros mâles. Des scientifiques suivent les migrations hivernales des grands blancs ; on sait qu'ils viennent toujours ici à l'automne. C'est un vieux rendez-vous, qui existe depuis des milliers d'années.

— Est-ce que les phoques ne savent pas que les requins les guettent ?

Il a hoché la tête sans répondre, et nous avons continué à regarder. Parmi les touristes appuyés à la rambarde, bien peu devaient penser aux requins qui attendaient, tapis dans l'ombre des fonds marins, qu'un lion de mer tombe dans leur territoire de chasse.

— Je ne sais pas si les phoques ont une mémoire, si c'est bien ta question, finit par dire Tommy. Ils savent que c'est dangereux d'entrer dans l'eau, mais ils ont besoin de se nourrir. Les grands blancs leur tendent des embuscades, c'est comme ça. Tout se passe dans l'ombre. Ce n'est pas facile de voir loin dans la mer ; il y a du mouvement partout. Parfois, un requin fonce sur sa proie.

— Tu as pitié des phoques ?

— Oui et non. Les parcs à thème ont des lions de mer dans leurs bassins ; ce sont des animaux très intelligents. Ils peuvent tenir une balle en équilibre sur leur nez. Personne ne sait comment ils font. Il n'y a que les gros requins pour les attaquer. Au pôle Nord, les phoques léopards tuent les pingouins, et chez nous, les chats tuent les rouges-gorges. C'est la nature.

— Est-ce que les requins attaquent en bande ?

— Ils peuvent se déplacer par douzaines ou plus selon les saisons. On racontait autrefois que si un prisonnier s'échappait d'Alcatraz à la nage, il était sûr d'être dévoré.

Nous n'avons plus rien dit. J'écoutais le clapotis de l'eau et les appels rauques des lions de mer, en pensant aux grands requins blancs qui faisaient peut-être surface dans l'ombre pour regarder le port et saisir le moment où un phoque allait glisser à l'eau.

Ce soir-là, à l'hôtel, Tommy a appelé Ty Barry.

Ty Barry est le héros de Tommy, parce que Ty Barry a survécu à une attaque de requin, près de Mavericks en Californie du Nord. Mavericks est un spot de surf célèbre pour sa vague géante qui casse à près de huit cents mètres de la côte. Après avoir lu l'histoire de Ty dans un journal, Tommy lui a envoyé un mail, sans s'attendre à recevoir de réponse. Mais Ty a répondu ; il lui a même raconté en détail toute son aventure. Ils ont continué à correspondre. Je me suis demandé si Ty savait dans quel état était Tommy, ou s'il trouvait sympathique ce gamin sorti de nulle part qui lui écrivait parce qu'il voulait entendre son histoire vécue de l'intérieur. Cela n'avait pas beaucoup d'importance. Ty a donné à Tommy les adresses d'autres surfeurs qui avaient survécu à des rencontres avec les requins. Tommy dévore leurs lettres. Je ne les ai jamais lues, mais depuis qu'il a fait la connaissance de Ty et ses amis, Tommy a toujours de nouvelles histoires de requins à raconter.

L'histoire de Ty :

Ty ramait sur sa planche de surf à environ six cents mètres du rivage quand un requin a foncé sur lui depuis les fonds marins et l'a projeté à deux mètres cinquante dans les airs. Ty n'a pas eu le temps de comprendre ce qui se passait. Par chance, il n'avait ni les mains ni les pieds dans l'eau au moment de l'impact, et le requin a découpé un demi-cercle parfait dans le pain de mousse de la planche sans le toucher, lui. Comme il avait toujours son *leash* à la cheville, il s'est demandé s'il valait mieux qu'il remonte sur son surf ou s'il fallait qu'il se débarrasse du *leash* pour se sauver à la nage sans chercher plus loin. Il ne voyait plus le requin. Non loin de là, un autre surfeur l'appelait pour savoir s'il s'agissait bien d'une attaque de requin. Ty lui a crié que oui, ça ne faisait aucun doute, et il est remonté sur sa planche. En se glissant à plat ventre pour ramer, il a vu le requin qui nageait juste en dessous de l'endroit où il se trouvait. Tout s'est passé si vite qu'il n'a pas eu vraiment le temps de voir la taille de la bête, mais d'après les empreintes de dents, les experts pensent qu'elle devait mesurer dans les quatre mètres cinquante, et peser une tonne, au moins.

Ty Barry et son ami ont regagné la plage en ramant de toutes leurs forces. Ils s'attendaient à tout instant à une nouvelle attaque, mais il n'y en a pas eu. Le requin avait disparu.

Ty a raconté que la seule chose qu'il ait sentie juste avant l'impact, c'est qu'une bulle d'eau surgissait brusquement du fond, comme un boulet de canon à l'intérieur de la vague.

D'après Tommy, les chances pour un surfeur d'être heurté par un grand blanc sont d'environ une sur un million. Qu'un requin vous heurte *sans vous toucher*, et les chances ne sont plus que d'une sur un milliard. Il dit que c'est à peu près comme si on se promenait dans la jungle en portant devant soi une planche à repasser, et qu'on voyait un tigre sauter sur la planche et disparaître sans blesser personne. C'est le sentiment qu'a eu Ty après sa rencontre avec le grand requin blanc.

Ty Barry est une figure qui compte dans le monde de Tommy. Il compte même plus que tout excepté les requins. Ty est aussi, de plusieurs manières significatives, son seul ami.

Après le coup de fil de Tommy à Ty, il y en a eu un autre : notre mère a reçu un appel du passager de l'avion, Business Bob. En la regardant parler, j'ai compris qu'elle avait attendu cet appel toute la soirée : elle s'est jetée sur son portable dès qu'il s'est mis à sonner et elle s'est détournée pour que je ne voie pas son expression.

Je l'ai détestée pour ça. Comment pouvait-elle attendre un appel de ce type, comment même pouvait-elle lui avoir donné son numéro ? Je n'en étais pas certaine, mais je la soupçonnais de lui avoir parlé quand elle s'était éloignée en nous laissant admirer les phoques. « Prendre un café » avait été son excuse bidon pour nous laisser. J'ai fait la grimace en l'entendant prendre sa voix enjôleuse. Elle flirtait au téléphone comme une minette à la tête vide qui s'imagine que le monde est à ses pieds. Elle avait son pantalon de pyjama et un sweat à capuche (imprimé du logo de *Jellystone Park*, avec Yogi l'ours sur la manche) et elle s'apprêtait à manger une poignée de pop-corn au fromage. Elle a reposé doucement les pop-corn sur la table pour qu'on ne l'entende pas mastiquer, et elle s'est écriée :

— Bonsoir Jerrod, comment ça va ?

Beurk.

Elle a parlé un instant d'une voix animée ; moi, je regardais Tommy. Il avait les yeux fixés sur l'écran de télévision géant, mais j'ai vu que le rouge lui montait aux joues. Il n'y avait pas besoin d'être Sigmund Freud pour comprendre ce qu'il ressentait, ce qu'il pensait. Sa mère avait ramassé un type dans l'avion, et maintenant, elle s'apprêtait à gâcher notre voyage au pays des requins en pensant à tout autre chose qu'à notre soirée en famille. Il suffisait de peu de choses pour faire basculer l'équilibre de notre trio. Je voyais Tommy se demander pourquoi il fallait qu'elle trouve un flirt ce soir-là justement, pourquoi c'était tellement important, et je me posais la même question que lui. C'est pour ça que lorsque notre mère a jeté un coup d'œil vers nous, je lui ai fait signe d'aller continuer sa conversation dans la salle de bains. Ce n'était guère mieux, parce qu'on entendait sa voix à travers la cloison, et dans un sens, c'était même pire : on avait l'impression qu'elle s'était enfermée là avec son amant pour roucouler et pouffer tout en l'embrassant. À la fin, Tommy a pris la télécommande pour monter le son ; il l'a mis assez fort pour que le vacarme que faisait Big Daddy Dan en écrabouillant des carcasses de voitures avec son camion recouvre tous les autres bruits. Ensuite, Tommy a tourné la télécommande vers la porte de la salle de bains, et il a fait semblant de baisser le son : il faisait taire notre mère. C'était drôle, et je me suis mise à rire. Il a ri avec moi.

Maman est sortie de la salle de bains dix minutes plus tard, l'air tout excitée d'avoir retenu l'attention d'un homme.

— C'était Jerrod.

— Il est à quel parfum, Jerrod ? a demandé Tommy sans quitter l'écran des yeux.

Maman s'est immobilisée.

— Je te demande pardon, jeune homme ?

Il n'a pas répondu.

Elle est allée baisser le son de la télévision, et s'est plantée devant, les bras croisés. Tommy a remonté le son avec la télécommande.

— Tommy ? Qu'est-ce que tu as dit ?

Elle a baissé le son une fois de plus ; il l'a remonté.

J'ai éclaté de rire.

Alors, il y a eu une éclaircie. Juste une seconde, j'ai entrevu le visage de ma mère en colère, mais elle s'est reprise tout de suite. C'est la mère normale qui s'est encore baissée en souriant pour faire semblant de régler le volume de la télévision. Tommy a complètement éteint, mais dès qu'elle s'est éloignée, il a de nouveau monté le son à fond. Maman a souri encore et cette fois, c'était un vrai grand sourire d'une oreille à l'autre, qui lui faisait paraître dix ans de moins. On ne pouvait pas s'empêcher de le lui rendre ; elle avait l'air heureux. Je voyais bien qu'elle jouait le jeu pour essayer de se dédouaner auprès de Tommy, pour compenser le coup de fil de Jerrod, mais je savais aussi, au fond de moi, qu'elle n'avait pas la vie facile tous les jours. Elle avait trouvé un moyen d'emmener Tommy en Californie pour qu'il voie des requins ; il fallait quand même admettre qu'elle s'était bien débrouillée. Et c'était difficile de lui en vouloir en la voyant faire le clown entre les lits. Tommy a crié « *Shing-A-Ling* ! » C'est un jeu que nous avions quand nous étions petits : on pouvait demander à maman n'importe quel pas de danse, et elle le faisait. On appelait ça la danse du jukebox.

Elle n'a pas hésité une seconde ; elle s'est lancée dans des contorsions des années soixante en agitant les mains en l'air. Ensuite, j'ai dit :

— Le singe !

Elle s'est mise à mimer frénétiquement un singe, puis Tommy a renchéri :

— Purée de patates !

Alors Maman est devenue vraiment maboule : elle s'est mise à tout écraser sur son passage en mimant la bousculade aux caisses d'un supermarché et les files d'attente encombrées de caddies. Ensuite elle s'est lancée dans des figures de *go-go girl,* puis elle a joué les boxers sur le ring, et enfin elle a imité Batman. Nous entendions parfois ses articulations craquer, et ça nous faisait rire encore plus fort. Nous lui avons donné les ordres les plus farfelus dans l'espoir de lui faire crier grâce, mais elle semblait animée d'une énergie inépuisable. À la fin, elle a pris une dégaine de rappeur et elle s'est mise à chanter. Nous lui lancions les mots qu'elle devait faire rimer ; c'était absurde et très drôle.

Tommy riait à gorge déployée. Il y avait bien longtemps que je ne l'avais pas vu rire ainsi. J'ai pensé que les souhaits ne sont peut-être pas une chose qu'on espère, mais une chose qui vous trouve. Tommy, maman et moi n'étions finalement que trois grains de sable dans le vaste univers, avec des requins partout autour de nous.

SAMEDI

L'odeur de l'océan est toujours nouvelle. On peut s'en éloigner pendant cent ans, ou vivre chaque jour à côté, mais quand le vent l'apporte, on la reconnaît. Ma première bouffée d'air du Pacifique, je l'ai sentie sur le quai de San Francisco où nous observions les phoques. Le lendemain matin, à cinq heures vingt-trois, assise à l'arrière dans la voiture de M. Cotter, je l'ai sentie à nouveau, et elle était toute neuve. M. Cotter était arrivé à cinq heures précises, vêtu d'une polaire bleue et d'un pantalon imperméable, le nez recouvert d'une couche d'écran solaire. Il avait apporté une Thermos de café, deux litres de jus d'orange et un carton de bagels et de muffins. Tommy avait « oublié » sa casquette requin, et nous avons dû attendre maman quinze minutes pendant qu'elle prenait une douche, mais M. Cotter n'a fait aucun commentaire. Il nous a installés dans sa voiture pour que nous y prenions notre petit déjeuner, et nous avons mangé en regardant le soleil se lever. Le vent de la nuit se calmait.

Il faut reconnaître que M. Cotter avait compris comment Tommy voyait son expédition. Il n'a pas continué ses blagues de la veille, ni assommé Tommy de questions sur les requins. Il nous a raconté à voix basse son expérience personnelle de la mer. Né à San Francisco, il adorait naviguer sur son petit voilier, mais il avait fait ses études sur la côte est, à Dartmouth, justement. C'est pourquoi notre candidature l'avait intéressé particulièrement. Nous avons parlé du New Hampshire ; il voulait savoir si nous connaissions la montagne Moosilauke et la rivière où il allait à la pêche autrefois, et si nous mangions du sirop d'érable sur une tartine de neige en hiver. Radiologue à la retraite et veuf, il passait ses week-ends à jouer au croquet avec un tas d'autres vieux croûtons (je le cite) sur un bout de terrain qu'ils avaient acheté exprès.

— Bee veut aller à Dartmouth, a dit Tommy. Elle va déjà se promener sur le campus pour donner l'impression qu'elle est étudiante.

Je lui ai donné une tape sur l'épaule en virant au rouge pivoine.

— Vraiment, Bee ? C'est une école superbe, a dit M. Cotter.

— C'est mon premier choix.

— Elle veut une université *Ivy League*[1], ajouta Tommy, qui s'était couvert de miettes de muffin à la mûre. Et elle l'aura : quand Bee a décidé de faire une chose, elle y arrive toujours.

M. Cotter m'a regardée comme s'il me découvrait.

— C'est une capacité admirable, dit-il. N'hésitez pas à faire appel à moi quand vous enverrez votre dossier de candidature. J'ai encore quelque influence là-bas, et je serais heureux de vous aider.

— Je n'y manquerai pas. Merci.

Nous avons échangé un regard avant de revenir à nos bagels. J'ai bu une gorgée de son café ; il était brûlant et parfumé.

M. Cotter a repris le fil de la conversation en nous racontant comment il était devenu bénévole pour la fondation Blue Moon. Tommy lui a dit merci, et M. Cotter lui a posé une main sur l'épaule. J'ai compris alors que notre hôte savait que le cas de Tommy était difficile, et

---

1. Les huit universités les plus anciennes et les plus prestigieuses des États-Unis, fondées pour la plupart par les Anglais avant l'Indépendance. (*NdT*)

que ce voyage ne changeait rien à la réalité de sa courte vie. Tommy n'a rien ajouté, et M. Cotter non plus. Il lui a tapoté l'épaule et a repris une gorgée de café.

Enfin, maman a fait son apparition, les cheveux relevés en une espèce de queue-de-cheval et chargée d'un grand cabas. Elle s'était mis trop de parfum. Elle a pris un muffin en s'excusant pour son retard, et elle a ri quand M. Cotter a affirmé que la marée n'attendait jamais les hommes, mais qu'elle attendrait peut-être une femme. Nous nous sommes dirigés vers le port.

Et c'est comme ça que l'océan nous a trouvés.

TOMMY INFO SUR LES REQUINS # 3 : Quand on parle d'un grand requin blanc, on pense surtout à sa taille. D'après Tommy, c'est une erreur : la particularité la plus extraordinaire d'un grand blanc, c'est sa corpulence. Un grand blanc de six mètres peut avaler un humain d'un mètre quatre-vingts en travers comme si c'était un cracker. Les grands blancs se déplacent sous l'eau comme des tunnels vivants. L'auteur du roman *Les Dents de la mer*, Peter Benchley, affirme que les requins ne veulent pas nous faire de mal : ils veulent seulement nous manger.

*

Le capitaine O'Shay nous a souhaité la bienvenue et nous a demandé de monter à bord
du *Gray Jay.*

C'était un homme massif, qui dirigeait un
gros bateau. Coiffé d'une casquette des Giants,
vêtu d'un sweat à capuche des Giants, il avait
aussi fait peindre le logo de l'équipe de baseball de San Francisco sur la coque. Il avait dû
avoir un accident autrefois, parce que son profil
gauche paraissait cabossé, comme si quelqu'un
avait commencé à le remodeler avant d'aban-
donner la partie. Il ne s'était pas rasé depuis
un moment ; la barbe courte de ses joues blan-
chissait à la lumière. Sa voix portait très loin ;
on avait l'impression qu'il avait tant crié pour
se faire entendre contre le vent qu'il ne savait
plus parler normalement.

— C'est un peu agité au large, annonça-t-il
sans préambule, mais ça devrait aller. Nous
avons eu trois attaques d'éléphants de mer hier.
Bienvenue à bord, bienvenue ! Attention à la
marche !

M. Cotter lui a tendu la main.

— Salut, Dave. Tu as l'air en forme.

— Henry, vieux farceur ! a répliqué le capitaine.

Ils se connaissaient bien, ça ne faisait pas de doute.

Nous étions en train de nous installer quand un petit car scolaire jaune vif s'est garé sur le quai. J'ai senti mon cœur se serrer. Je n'ai pas regardé Tommy, mais je savais qu'il l'avait vu. Maman a tendu la main au capitaine, qui lui a souri. Deux mouettes qui planaient au-dessus de nous se sont mises à crier.

— Alors toi, tu dois être Tommy, a dit le capitaine de sa voix tonnante. Nous devrions voir des choses intéressantes aujourd'hui ; en cette saison, il y a au moins une attaque par jour. On peut en voir jusqu'à cinq...

— Au large d'Indian Head ? a demandé Tommy.

Le capitaine l'a regardé longuement sans répondre. J'avais vu la même chose arriver cent fois : les gens traitent Tommy comme un pauvre gamin victime de mucoviscidose, jusqu'à ce qu'il dise quelque chose qui les fait changer d'avis. Le capitaine était en train de changer d'avis.

— Tu connais les îles, mon garçon ?

— Seulement dans les livres ; je connais Shark Alley, Mirounga Bay, et North Landing.

Le capitaine a jeté un coup d'œil à M. Cotter. Il allait répondre à Tommy quand les passagers du car scolaire se sont mis en mouvement.

C'étaient des enfants retardés.

On le voyait tout de suite. Une dame équipée d'un bloc-notes est sortie la première, et elle s'est penchée vers l'intérieur pour expliquer quelque chose. Ça a pris longtemps. Quand elle s'est redressée, les enfants ont commencé à descendre par groupes de deux. Ils ont montré le bateau du doigt en gesticulant et en parlant fort. Leurs intonations étaient bizarres, leurs voix aiguës et surexcitées. Un ou deux enfants se sont précipités vers la passerelle et la dame s'est dépêchée de les suivre.

Je me suis aperçue que j'avais arrêté de respirer.

Et je n'osais pas regarder Tommy.

Parce que Tommy n'a pas du tout le même genre de problème. Et jamais, au grand jamais, je ne dirais un mot contre ces enfants, mais ce n'était pas juste qu'on mette Tommy dans le même sac. Je savais comment les choses s'étaient passées : M. Cotter, ou un autre adulte bénévole, avait contacté le capitaine O'Shay pour louer le bateau à un tarif de groupe. Ils avaient peut-être discuté le prix, peut-être fait appel à la générosité naturelle du capitaine. Je comprenais leur raisonnement : tous ces enfants souffraient d'une infirmité, Tommy comme les autres. Personne n'avait pensé à mal. J'ai vu le visage de M. Cotter s'assombrir, parce que lui aussi, maintenant, il comprenait. Il avait fait la connaissance de Tommy. Tommy, qui en savait plus sur les requins qu'aucun des adultes présents, condamné à n'être qu'un môme handicapé parmi d'autres, venus en touristes. Il ne méritait pas ça.

Mais Tommy, lui, avait compris qu'on le regarderait toujours comme les enfants du car. Différent. Moins qu'un autre, d'une certaine manière. Un enfant avec des besoins spéciaux.

*

La dame s'appelait Mme Halpern.

Elle était accompagnée d'une assistante, Mlle Sprague. À elles deux, elles me rappelaient des chiens de berger qui rassemblent leur troupeau. Mme Halpern était lente et lourde, et l'autre vive comme un colley.

Elles nous ont présenté les enfants un à un, mais je n'ai pas écouté. C'est peut-être mal, mais je m'en fichais. Ils ont mis un bon moment à escalader la passerelle, à enfiler leurs gilets et à trouver leur équilibre sur le pont qui tanguait. Quand une petite fille m'a dit quelque chose à propos des requins, j'ai hoché la tête sans répondre.

Et quand un garçon s'est coincé le bras dans son gilet de sauvetage, Tommy s'est approché pour l'aider.

J'ai senti ma colère s'évanouir. Je l'ai regardé avancer d'un pas aussi incertain que celui des petits trisomiques, et croiser le regard du garçon, qui souffrait visiblement de problèmes de coordination motrice. Tommy a souri et il l'a aidé à mettre son gilet, sans hésiter une seconde à s'approcher d'un étranger. Avec douceur et habileté, il a fermé la veste et tapoté l'épaule de l'enfant.

— Je m'appelle Tommy. Toi, c'est Mark ?

— Mark, a répété le garçon en hésitant un peu sur les consonnes.

— Très bien, a dit Tommy. T'en fais pas, on va passer une journée formidable.

C'était aussi simple que ça.

TOMMY INFO SUR LES REQUINS # 4 : En 78 après Jésus-Christ, Pline l'Ancien a écrit que pendant une éclipse de lune, des fossiles de dents de requins étaient tombés du ciel. D'autres écrivains de son époque ont imaginé que ces fossiles étaient en réalité des langues de serpent pétrifiées par saint Pierre. On leur a donné le nom de *glossopetrae*, ou langues de pierre ; on considérait qu'elles avaient des propriétés magiques. Les gens les portaient en amulettes, ou demandaient aux tailleurs de les coudre dans des poches spéciales. C'est seulement au milieu du XVIIe siècle qu'un savant danois, Steno, a disséqué la première tête de grand requin blanc ; l'animal avait été pêché près des côtes italiennes. On a enfin donné leur nom latin aux dents de requin : *Carcharodon carcharias,* qui veut dire : *dent bosselée.*

*

Nous sommes passés sous le Golden Gate Bridge. D'après M. Cotter, c'était aussi dangereux que spectaculaire. Il nous a expliqué que depuis San Francisco, on pouvait croire que l'océan était une mer d'huile et le vent complètement tombé. En fait, dès qu'on passe le Golden Gate, les choses changent du tout au tout. L'océan devient tout de suite un océan. Si l'on ajoute le brouillard omniprésent et les innombrables courants, on comprend que ces eaux aient connu plus que leur part de naufrages.

— Les garde-côtes ne chôment pas par ici, a-t-il ajouté. Un de mes collègues m'a raconté l'histoire d'un catamaran en perdition dans les îles Farallon. La radio a eu le temps de signaler qu'une vague venait de déferler dans la cabine. On n'en a plus jamais entendu parler ; il y avait six personnes à bord.

M. Cotter m'a vue pâlir. Nous étions appuyés à la rambarde de tribord, et nous admirions le pont. Il a posé sa main sur mon épaule.

— Excusez-moi. Je voulais vous raconter cela comme une histoire intéressante ; je n'ai pas pensé que j'allais vous effrayer. Il ne faut pas vous inquiéter, le capitaine O'Shay a fait ce trajet des milliers de fois. Je pense simplement que le temps ne sera pas aussi calme que prévu ; les îles Farallon sont célèbres pour leurs eaux agitées.

— On mettra combien de temps pour y arriver ?

— Environ quatre heures, mais cela dépend des conditions. D'ici, il est impossible de prévoir comment ça va se passer. Autrefois, on récoltait des œufs de mouettes dans les îles. En 1849, un homme nommé Robinson est arrivé en quête d'œufs ; il paraît qu'à l'époque on manquait de poules en Californie. Lui et son frère ont rapporté une pleine cargaison d'œufs de guillemots ; ils les ont vendus un dollar la douzaine, et ils ont fait fortune. Leur succès a attiré d'autres entrepreneurs ; quelqu'un a même fabriqué une chemise spéciale pour les ramasseurs d'œufs, avec des poches qui permettaient d'en transporter jusqu'à dix-huit douzaines. Une drôle d'affaire ! Je crois que tout ça s'est terminé en fusillade entre rivaux.

— Il y a beaucoup d'oiseaux sur les îles Farallon ?

— Oh, là, là ! Plus que vous n'en verrez jamais ! Sur le continent, on reconnaissait les ramasseurs d'œufs aux cicatrices qu'ils avaient sur le crâne. Les mouettes leur fonçaient dessus en piqué. Il y a des oiseaux partout. Vous savez que les marins ont appelé ces îles les Dents du Diable, à cause de l'aspect déchiqueté des côtes ? C'est un endroit assez sinistre.

— Je ne m'étonne pas que Tommy l'ait choisi pour réaliser son rêve.

— Comment va-t-il, au fait ? demanda M. Cotter sans lever les yeux.

— Vous voulez dire ici, pendant le voyage ?

— Non, en général. Quel est son état de santé ?

J'ai suivi des yeux une mouette qui planait au-dessus de nous.

— Pas bon. Il ne prend pas de poids du tout, et il est souvent malade. Il ne se plaint jamais, mais c'est facile de voir qu'il a de bons et de mauvais jours. Il a dû passer des années entières dans des cabinets médicaux ; je crois que parfois, il en a assez.

— Votre mère a obtenu des aides pour le coût des soins ?

— Oui ; elle est serveuse dans un restaurant. Elle a droit à des allocations pour lui.

Il a hoché la tête.

— J'espère que vous ne me trouvez pas exagérément curieux ; je voulais seulement savoir comment les choses se présentent pour éviter de faire des gaffes. On ne nous donne pas d'informations, à nous autres bénévoles, à cause du secret médical et tout ça. Tommy est un jeune homme terriblement attachant. Je n'ai pas le souvenir d'avoir rencontré quelqu'un d'aussi foncièrement franc et honnête.

— Tout le monde aime Tommy. Il n'a pas de défenses. Tout a été arraché par la maladie et ce qui reste, c'est vraiment le cœur de sa personnalité.

— Il faut de la maturité pour le voir comme ça. Je ne pense pas que beaucoup de filles de votre âge aient la même.

— Tommy n'est pas difficile à comprendre.

— N'empêche, c'est beau de voir un lien si fort entre un frère et une sœur. On voit qu'il vénère le sol sur lequel vous marchez.

— Nous sommes très proches, c'est vrai.

J'aimais bien cette conversation avec M. Cotter. Il m'a posé des questions sur mes études, mais pas comme des tas d'adultes qui n'écoutent pas les réponses. Il n'avait plus l'âge d'être pressé, ni distrait. Il m'a offert toute son attention. Nous avons encore évoqué le New Hampshire qui semblait tenir une place particulière dans ses souvenirs.

La mer devenait agitée. Nous n'en avons pas parlé, mais de temps en temps, il y avait des silences pendant lesquels nous écoutions attentivement le bruit des vagues. Le *Gray Jay* peinait dans les creux entre les vagues. Les crêtes, elles, atteignaient bien deux mètres. Cela ne paraissait pas vraiment dangereux, mais pas facile non plus.

— Je vais voir Tommy, j'ai annoncé au bout d'un moment. Je veux savoir comment il s'en sort.

— Il est dans la cabine du capitaine. Moi, je vais voir notre groupe. Si vous voulez, j'ai une Thermos de chocolat chaud.

J'ai grimpé les marches qui menaient à la cabine de pilotage et poussé la porte. Au premier regard, j'ai vu que Tommy avait le mal de mer. Il était blanc, et quand il essayait de sourire, son visage paraissait tiré comme s'il ne pouvait plus coordonner ses muscles. Le capitaine O'Shay, naturellement, était parfaitement à l'aise. Il picorait un gros beignet à la cannelle qu'il avait posé à portée de main sur le tableau de commandes. Comme les mouettes qui passaient au-dessus de nous en piaillant, il montrait un appétit insatiable.

— Alors, voilà la grande sœur ? s'exclamat-il en me voyant. Votre frère en sait plus sur les requins qu'aucun de ceux que j'ai amenés jusqu'ici, y compris les biologistes spécialisés dans la faune marine ! Nous parlions des éléphants de mer. C'est quelque chose, l'attaque d'un éléphant de mer par un requin ! Du sang, et encore du sang !

— Leur sang est très riche en oxygène, dit Tommy, parce qu'ils plongent en profondeur.

— Et ils sont énormes, ajouta le capitaine entre deux bouchées de beignet.

Brusquement, il montra quelque chose de la main droite, celle qui tenait la pâtisserie. J'ai suivi du regard la direction qu'il indiquait. À quelques centaines de mètres de distance, une baleine envoyait son jet d'eau vers le ciel.

— Nous avons de la compagnie ! annonça le capitaine dans son micro.

Il précisa qu'il s'agissait d'une baleine grise, puis il reposa son micro. Mme Halpern, m'expliqua-t-il, avait demandé un voyage en mer pour voir des baleines. Les requins étaient venus s'ajouter à l'expédition. On trouvait des gens pour dire qu'on ne devrait pas emmener des enfants voir le spectacle sanglant d'une attaque de requins, mais il n'était pas d'accord. La nature était ce qu'elle était. Plus tôt les jeunes s'en rendraient compte, et plus vite commencerait leur véritable éducation.

À cet instant précis, Tommy a commencé à vomir.

Il a vomi sans avoir le temps d'arriver jusqu'à la corbeille à papier, ni jusqu'à la porte, par accès violents et incoercibles. Le capitaine a murmuré :

— Et merde.

J'ai foncé dans l'escalier jusqu'à la cabine où les petits buvaient du chocolat chaud. Maman bavardait avec Mme Halpern. J'ai attrapé des serviettes sur la table la plus proche et j'ai couru jusqu'au poste de pilotage. Personne n'avait bougé. Tommy avait la tête baissée, les bras ballants comme s'il n'arrivait pas à croire à ce qu'il avait fait. Le capitaine se tenait sur un pied pour éviter de marcher dans la flaque.

— Ce n'est rien, Tommy, j'ai assuré.

Il a fondu en larmes.

— Ce n'est rien, j'ai répété en lui essuyant les bras et les jambes.

J'avais un mal fou à me retenir d'être malade à mon tour. Je lui ai proposé d'aller dehors et d'essayer de vomir par-dessus le bastingage.

— À bâbord, a ajouté le capitaine. Pas dans le vent.

J'ai nettoyé comme j'ai pu, en retenant furieusement les nausées, réflexes que je sentais monter. O'Shay a levé un pied après l'autre pour que je puisse passer avec mon chiffon. C'était dégoûtant. Quand j'ai eu fini, j'ai roulé les serviettes en boule.

— C'est un gars bien, Tommy, a dit le capitaine en regardant droit devant lui. Peut-être qu'il n'en a plus très envie maintenant, de toute façon, mais je ne crois pas que nous pourrons descendre quelqu'un à l'eau aujourd'hui ; la mer est trop agitée. Je pense que nous nous contenterons de regarder du bateau.

— Mais il veut plonger ! C'est pour ça que nous sommes venus. C'est très important pour lui.

Le capitaine hocha la tête.

— La mer a toujours le dernier mot. Je vérifierai les conditions quand nous y serons. En attendant, gardez-le à l'air et voyez comment son estomac réagit. S'il arrive à manger un petit quelque chose, ça peut lui faire du bien. C'est terrible d'avoir le mal de mer.

J'ai rejoint Tommy sur le pont. Il s'appuyait à la rambarde, blanc et tremblant. Il avait encore été malade. Je lui ai dit de respirer à fond. Je lui ai dit de regarder la baleine. Je lui ai dit qu'il allait vite se sentir mieux, mais nous savions tous les deux que ce n'était pas vrai.

J'ai tout de suite compris pourquoi les îles Farallon ont gagné le surnom de Dents du Diable. Elles surgissent de l'océan à la verticale avec leurs côtes escarpées et se découpent en noir sur une mer livide. Le ciel ne s'était pas éclairci, et le paysage me faisait penser à une parodie de décor pour film noir, venteux et tout en ombres sinistres. Sur chaque espace de rocher on voyait un phoque, luisant comme une tache de peinture brillante. Au-dessus, les mouettes, guillemots et sternes tournoyaient sans relâche.

Le *Gray Jay* s'approcha à deux cents mètres, mais le capitaine nous annonça que le temps se détériorait. Cela voulait dire que nous n'allions pas pouvoir rester longtemps, et aussi que le retour serait pénible. Ce n'était même pas la peine de demander si on pouvait mettre une cage de plongée à l'eau.

Maman est restée près de Tommy et pour une fois, elle s'est abstenue de faire des commentaires. C'est peut-être cruel à entendre, mais c'était la meilleure chose à faire. Elle lui a donné un bagel avec un peu de beurre de cacahuètes ; il avait l'air d'aller mieux. Les autres passagers étaient aussi venus s'installer sur le pont, surveillés de près par Mlle Sprague qui les rassemblait autour d'elle comme une mère poule ses poussins. Je savais ce qu'elle pensait : qu'un de ces enfants tombe à l'eau, et si par miracle il ne se noyait pas tout de suite, on verrait un requin surgir des profondeurs... L'image était trop affreuse pour qu'on s'y arrête. Maintenant que le groupe avait vu une baleine, elle avait envie de rentrer. Le but de l'expédition était atteint. Mme Halpern restait assise et grignotait tranquillement un morceau de bagel.

Dans son micro, le capitaine expliqua qu'il avait contacté l'équipe de chercheurs qui travaillait sur l'une des îles ; il n'y avait aucune attaque de requins à signaler ce jour-là. Tommy savait déjà que les îles étaient une réserve naturelle nationale et qu'une équipe de scientifiques y résidait pour étudier les requins, suivre leurs évolutions et les marquer, dans la mesure du possible.

Je suis allée retrouver M. Cotter à l'avant du bateau. Appuyé au bastingage, il regardait la mer.

— Comment te sens-tu, Bee ?

— Bien, merci.

— Plusieurs des enfants sont malades, dit-il en indiquant le pont d'un geste. C'est un long voyage pour voir un bout de rocher au milieu de l'océan.

— Mais les requins sont là !

— Oui, c'est sûr. J'en ai vu un, il y a bien des années, qui dévorait un éléphant de mer. C'était avant qu'on s'intéresse à cette région. Depuis, la BBC a tourné un documentaire et l'État y a placé une équipe de scientifiques, et c'est tant mieux. Enfin, un jour, j'étais venu pêcher avec mon fils ; un peu plus loin que là où nous sommes actuellement, quand nous avons remarqué un grand remue-ménage dans l'eau. Nous avons vu le requin s'emparer d'un éléphant de mer ; c'est un très gros animal, mais le requin n'en a fait que deux ou trois bouchées. Je me souviens surtout de la violence de l'attaque, de la manière dont le requin secouait la carcasse. C'était extraordinaire.

— Vous avez eu peur ?

— Pas plus que j'aurais eu peur d'une tempête. Personne n'a envie de venir nager jusqu'ici. Ce qu'il faut, c'est éviter de rester en surface. Les requins prennent parfois un surfeur pour un phoque, parce que, du fond, ils voient une forme allongée et de petites mains comme des nageoires qui dépassent. Pour eux, c'est le signal qu'il faut foncer. L'équipe scientifique a un placard plein de planches de surf à moitié dévorées par des grands blancs. C'est impressionnant, vous pouvez me croire.

— Vous pensez que nous allons voir quelque chose aujourd'hui ?

— C'est possible. Le mauvais temps ne concerne pas les requins. Le problème, c'est que nous ne pourrons pas rester très longtemps, ça va bientôt devenir trop dur pour les petits.

— Tommy sera tellement déçu si nous ne voyons rien.

M. Cotter a hoché la tête.

— Tu t'occupes beaucoup de lui, n'est-ce pas ?

J'ai haussé les épaules.

— Nous occuper de quelqu'un nous apprend beaucoup, reprit M. Cotter. C'est difficile, et parfois pénible, mais notre cœur en devient plus fort. Tout ce que tu fais pour Tommy, tu le fais aussi pour toi. J'ai soigné mon épouse malade jusqu'au bout et je n'échangerais pour rien au monde ces moments-là.

— Est-elle restée malade très longtemps ?

— Assez, oui. Plus de deux ans. J'ai appris à l'aimer autrement.

— Je comprends.

— Oui, je sais que tu comprends.

TOMMY INFO SUR LES REQUINS # 5 : Un grand requin blanc ne mâche pas ce qu'il mange. Il déchire des lambeaux de chair et de nerfs pour les avaler entiers. Un grand blanc a environ trois mille dents, de forme triangulaire et dentelées au bord. Il utilise les deux premières rangées de dents pour saisir et couper ; les rangées postérieures viendront remplacer celles qui s'abîment. Après avoir dévoré un phoque, un requin peut passer un mois sans manger.

*

Le capitaine O'Shay a poussé le moteur à
fond et le bateau s'est mis à tanguer sur les
vagues. Nous allions faire le tour des îles. Je suis
allée chercher Tommy, que j'ai trouvé passant
la tête dans la cabine de pilotage pour discuter
avec O'Shay. Il était en train d'écouter un rapport détaillé de la situation. Quand il a retiré
sa tête, j'ai vu qu'il avait les yeux brillants et
l'air heureux.

— Les Sœurs ! Mirounga Bay, a-t-il annoncé.

— Les Sœurs ?

Avant qu'il ait pu s'expliquer, le bateau a
fait une embardée qui lui a fait perdre l'équilibre. Je l'ai rattrapé de justesse.

— Où est maman ? j'ai demandé.

— En bas. Elle a le mal de mer.

J'ai maintenu fermement le dos de son gilet
de sauvetage.

— Le capitaine dit qu'il faut aller à tribord,
a dit Tommy tout excité. Allons-y !

Nous nous sommes dépêchés de passer par
l'arrière pour rejoindre le pont à tribord. Là, j'ai
de nouveau aperçu les îles. Elles paraissaient
encore plus inquiétantes vues de ce côté. Une
foule d'oiseaux tournoyaient autour du moindre
pic rocheux, des nuages de mouettes qui s'éle-

vaient comme la fumée d'un feu de feuilles mortes.

— Là-bas ! cria Tommy.

Sa voix était montée dans les aigus ; il avait l'air prêt à sauter hors de sa peau.

Du sang. Du sang rouge vif, plus vif que je n'aurais jamais cru en voir, vibrait en spirale autour d'un point plus sombre, sombre comme le drame que je ne voulais même pas imaginer. On aurait dit un drapeau qui s'étalait sur la mer.

— À dix heures ! a annoncé la capitaine.

Tommy avait repéré le lieu de l'attaque avant lui. Le bateau, qui tanguait toujours, était encore à une centaine de mètres. Quelques enfants s'approchèrent avec Mme Halpern. Elle leur indiqua du doigt la tache rouge qui s'élargissait ; je ne sais pas s'ils comprirent ce que ça voulait dire.

— Tu vois quelque chose ? j'ai demandé à Tommy.

Il a secoué la tête sans détourner les yeux une seconde. Il avait la voix tendue.

— Seulement le sang.

— Qu'est-ce que tu voulais dire avec « les Sœurs » ?

— Les chercheurs les appellent la Fratrie ; ce sont trois ou quatre femelles qui chassent par ici. Elles sont mortelles.

— Je ne vois pas le phoque...

— Il n'est plus là.

Une seconde plus tard, nous avons aperçu un aileron. Il est passé si vite que nous aurions pu croire à un effet d'optique. Il a fendu l'eau dans le temps d'un battement de cœur. La queue a fait jaillir une petite gerbe d'écume, et il a disparu.

— C'était un requin, Tommy, j'ai chuchoté. Un grand requin blanc. Tu as vu un grand blanc, et tu l'as vu tuer.

Il a hoché la tête, puis il m'a tendu sa main pour que je la prenne dans les miennes. Il m'a fallu encore un moment pour comprendre qu'il avait du mal à respirer.

Fin d'après-midi. Vent de terre. Le bateau approche lentement de la côte, suivi par une nuée de mouettes. Des phoques nagent dans l'écume comme des traits d'encre noire. Tommy s'est endormi la tête sur les genoux de maman, les pieds sur les miens. Tout est calme. Des gobelets de polystyrène vide roulent sur la table en un mouvement circulaire. Les enfants trisomiques entrent et sortent. Mme Halpern tricote. Elle a expliqué à maman qu'elle fait un sac pour sa petite-fille qui étudie la chimie à Stanford. Quand elle aura fini son tricot, elle le fera bouillir plusieurs fois avant de le broder.

Rien ne pourra passer à travers. Elle a dit que chaque point de tricot est une pensée.

M. Cotter nous a ramenés à l'hôtel. Il avait l'air d'avoir trop pris le soleil ; il piquait un peu du nez, mais il bavardait quand même avec Tommy assis à l'avant. Nous avons parlé des îles Farallon, de leurs falaises à pic et des récifs qui en font un terrain de chasse idéal pour les requins. Les roches sombres des fonds marins leur offrent des cachettes sans nombre. En deux brasses, ils sont à portée des colonies de phoques qui nagent à dix mètres au-dessus d'eux. La proximité des espèces est sûrement profitable aux deux si l'on choisit de l'étudier sur une perspective à long terme.

Nous approchions de l'hôtel. M. Cotter jeta un coup d'œil vers ma mère dans son rétroviseur.

— Quels sont vos plans pour demain ? demanda-t-il.

— Je pense que nous nous reposerons le matin, et ensuite, nous irons nous promener en ville. Il nous reste encore lundi ; nous repartons dans la soirée.

— Je crains de ne pas pouvoir vous accompagner. J'ai un match à cent kilomètres d'ici avec mon équipe de croquet. J'en ai pour la journée, et je suis pris lundi.

— Vous avez déjà beaucoup fait pour nous, dit maman. Nous ne pensions pas que vous alliez nous accompagner partout.

— Enfin, au moins, nous avons vu un requin, conclut M. Cotter en souriant à Tommy. Le capitaine O'Shay disait que c'était un jeune, peut-être trois mètres.

— On peut calculer sa taille en mesurant la distance de l'aileron à la queue, dit Tommy, ou au moins la deviner.

— Peut-être qu'il n'est arrivé là que pour finir les restes ; il n'est pas impossible que l'une des Sœurs ait tué le phoque.

— Je n'aurais jamais pensé voir du sang si rouge, ajouta maman.

Elle l'avait déjà dit, et elle ne le répétait que pour meubler le silence.

Nous sommes arrivés devant l'hôtel. M. Cotter est descendu pour nous dire au revoir. Il a pris ma mère dans ses bras un instant, puis moi, et il s'est penché vers Tommy pour lui serrer la main.

— Je suis heureux d'avoir fait ta connaissance, lui a-t-il dit, et désolé que le temps ne nous ait pas permis de mettre une cage à l'eau.

— C'était très bien, M. Cotter. Merci de nous avoir montré les îles.

— J'ai noté votre adresse. Si je vais à la prochaine réunion des anciens de Dartmouth, je

t'appellerai. On pourra peut-être aller se bala-
der ?

Tommy a approuvé d'un signe de tête. Une
ombre est passée dans les yeux de M. Cotter. Il
a posé doucement sa main sur la joue de mon
frère, et j'ai compris que c'était un homme qui
avait eu des fils, un homme dont le cœur se
briserait s'il arrivait quelque chose à ses fils.
Et voilà qu'il rencontrait Tommy.

— O.K. Portez-vous bien, tous les trois, a dit
M. Cotter en retirant sa main.

*

Personne ne peut rencontrer Tommy sans
en être affecté d'une façon ou d'une autre.
Personne ne peut s'empêcher de l'aimer. Je
l'ai vu dans les yeux de M. Cotter. Tommy est
une lumière, la flamme d'une bougie. Parfois,
il éclaire autour de lui ; parfois, il reflète la
lumière qu'on lui envoie. Certains grands lea-
ders spirituels ont dû être des gens comme
Tommy. Ils n'avaient sans doute rien de surna-
turel, c'étaient plutôt des gens simples, calmes,
qu'on remarquait surtout à cause de leur sim-
plicité justement, de leur humilité. Tommy ne
regarde jamais personne de haut ; il rencontre
les gens en face. Il croit en eux, parce qu'il sait

que même dans un cheval boiteux, un bon à rien, il y a quelqu'un.

Le téléphone portable de maman s'est mis à sonner à l'instant où elle glissait la clé magnétique dans la porte de notre chambre. Elle l'a repêché en fouillant frénétiquement dans son sac.

— Oh, bonsoir !

Elle a pris sa voix de petite fille et a ouvert des yeux immenses comme si elle venait de faire un miracle : elle recevait un appel d'un homme...

— Jerrod ! Comme je suis contente de vous entendre !

Tommy s'est mis à geindre en secouant la tête. J'ai ouvert la porte, mais maman est restée dans le couloir. À travers le mur, nous entendions ses intonations sucrées de poupée Barbie.

— Helloooo Jerroood, a susurré Tommy d'une voix suraiguë, comme je suis conteeente de vous enteeendre !

— Sérieux, tu es aussi ridicule qu'elle !

Tommy est tombé à la renverse sur le lit en s'étouffant de rire, puis il a pris la télécommande pour allumer la télévision. Il a monté le son. Il avait l'air prêt à s'endormir.

Je lui ai dit de se changer et je suis allée me regarder dans le miroir de la salle de bains. Le vent m'avait brûlé le visage ; je me suis contorsionnée pour voir l'étendue des dégâts. J'étais rouge, avec des yeux de raton laveur à cause de mes lunettes de soleil. J'ai relevé mes cheveux en m'examinant de près. Je ressemble à un fox-terrier avec un museau pointu ; j'ai aussi l'air trop sérieux. Avant que j'aie terminé, maman a frappé à la porte et est entrée sans attendre la réponse. Elle souriait. Je savais ce qui m'attendait.

— J'aimerais aller retrouver Jerrod pour boire un verre, si ça ne t'ennuie pas de rester avec Tommy.

— Et si ça m'ennuie ?

— Tu le fais exprès pour me ruiner ma soirée, ou ça t'ennuie vraiment ?

J'étais en train d'étaler de la crème hydratante sur mes yeux de raton laveur. Elle m'a pris le tube des mains pour m'imiter, tout en s'inspectant de près dans le miroir.

— Sérieux, je ne sais pas, vraiment, maman. Nous n'avons que quelques jours de vacances en famille, et tu veux t'en aller le premier soir.

— Boire un verre, Bee ! Jerrod va passer dans les parages ce soir, et il veut m'inviter. Désolée si j'essaie d'avoir une vie à moi.

— Mais c'est le voyage de Tommy... Quatre malheureuses petites journées !

— Nous sommes parties avec lui, et nous l'avons emmené voir un requin, dit-elle en croisant mon regard dans le miroir. Et nous avons passé la soirée ensemble hier. Ce soir, j'aimerais sortir retrouver un homme qui me propose de boire un verre, c'est un crime ? Je te laisserai de l'argent, vous pourrez sortir manger une pizza ou ce que vous voulez.

— Ou ce qu'on voudra, oui. Fais-toi plaisir, maman.

— C'est facile de me critiquer, dit-elle encore en tirant sur ses joues pour les faire remonter, mais essaie donc d'élever deux enfants toute seule, et on en reparlera.

— Et ça veut dire que tu dois sortir ce soir ?

— Ça veut dire que de temps en temps, j'ai besoin de la compagnie d'un adulte, oui.

— Un adulte qui se trouve être un homme ?

— Ce serait agréable d'avoir un homme dans ma vie, oui, Bee. Je suis désolée si ça te déçoit.

— C'est tellement prévisible.

Elle m'a jeté un coup d'œil.

— Je ne resterai pas tard.

— Non, bien sûr.

— Je serai toujours ta mère, tu sais ; j'ai bien peur que tu ne puisses pas y échapper.

— J'en ai de la chance. Ça veut dire quoi, ça, exactement ?

Elle avait fini de se masser le visage.

— Que personne n'est parfait. Et que nous sommes ensemble, toi et moi, que ça nous plaise ou non.

— Mais tout ça n'a rien à voir avec le fait que tu veuilles sortir ce soir !

Elle s'est contentée de hausser les épaules, et je l'ai imitée.

— Elle s'en va ? a demandé Tommy de son lit.

J'ai fait signe que oui.

— Qu'est-ce que tu as envie de manger ? ai-je demandé.

— Ça m'est égal.

— Tu veux qu'on se fasse servir dans la chambre ?

— On peut, tu crois ?

— Je pense qu'on peut. C'est ton voyage, espèce de petit bandit !

— J'ai toujours eu envie d'appeler le *room service.*

— Vos désirs sont des ordres, maître !

Tommy a souri, à moitié endormi. Nous avons regardé la télévision. Le soleil s'est couché, je me suis levée pour fermer les rideaux. Il s'est blotti sous la couverture. Notre mère virevoltait dans la chambre en s'habillant. Quand elle est enfin sortie, elle a laissé derrière elle des effluves de parfum.

Tommy a commandé un club sandwich et des frites, moi un steak au fromage fondu avec des patates douces. Nous avons regardé de vieux épisodes de *Friends*. Le serveur qui a apporté nos plateaux était âgé et tout branlant ; on voyait qu'il avait fait des efforts pour rentrer son ventre dans sa ceinture. Un badge accroché à sa chemise nous informa qu'il s'appelait Wayne. Il posa les plateaux sur la table, se redressa et resta là, à nous regarder, jusqu'à ce que je comprenne qu'il attendait un pourboire. Heureusement, j'avais vu où maman avait rangé l'enveloppe de M. Cotter. J'en ai extirpé un billet de cinq dollars que je lui ai tendu.

— Merci, mademoiselle.

— Merci à vous, Wayne, ai-je répondu.

Comme si j'avais eu le choix !

Pendant que je le raccompagnais jusqu'à la porte, Tommy essayait de se mettre debout. Il était trop fatigué, alors je lui ai apporté son plateau. J'ai étalé une serviette sur ses genoux et j'y ai posé l'assiette. Le générique de *Friends* est apparu sur l'écran. Nous avons regardé l'épisode suivant sans échanger plus de quelques mots. Quand l'un des acteurs faisait quelque chose de vraiment stupide et que la bande-son passait des rires enregistrés, je me tournais vers lui en louchant pour le faire sourire. Je savais qu'il n'allait pas falloir tarder à lui mettre son gilet massant ; en attendant, je lui chipais ses frites.

— Tu te sens bien ? j'ai demandé au bout d'un moment.

— Fatigué.

— Essaie de manger encore un peu. La journée a été longue.

— Je n'ai plus faim.

J'ai baissé le son de la télévision, posé une main sur son front pour voir s'il avait de la fièvre. Ses yeux devenaient un peu vitreux.

— Il est temps de mettre ton gilet. Tu ne te sens pas bien ? Qu'est-ce qui ne va pas ?

Il a haussé les épaules.

— Allez, raconte.

Il s'est mis à pleurer. C'est une chose qui ne lui arrive jamais.

— Tu n'as pas vraiment aimé la sortie en bateau. C'est ça ?

Il s'est tout de suite essuyé les yeux avec le dos de la main. J'ai commencé à enlever la vaisselle. Il avait l'air complètement défait brusquement. Jamais je ne l'avais vu aussi découragé.

— Tu peux me le dire, à moi, tu sais. Vas-y.

— Ce n'est rien... C'est juste...

— Tu es déçu.

— Je pensais juste que ça se passerait autrement. Je croyais que j'allais aller dans la cage, sous l'eau. C'est ce qu'ils avaient dit. C'était pour ça que nous sommes venus jusqu'ici. Mais ça ne s'est pas passé comme ça du tout.

— Tu as vu un requin. Et le sang de l'éléphant de mer.

— Mais ça, ça peut arriver à n'importe qui.

— Je suis désolée. Je comprends ce que tu veux dire.

— Ce n'est pas ta faute.

— Je sais. Mais je comprends que tu sois déçu. Je sais ce que tu veux dire. C'était presque ce que tu désirais, mais pas tout à fait, et maintenant, il faut faire comme si tu l'avais eu, pas vrai ?

Il a hoché la tête.

— Tu te souviens de cette robe que maman m'avait offerte pour ma première soirée, en fin de troisième ? J'avais vu exactement la robe que je voulais dans une boutique, mais maman est allée m'acheter quelque chose qui y ressemblait un peu, et il a fallu que je dise que c'était parfait. C'était affreux. Je suis allée à la soirée, mais je savais que je n'étais pas jolie. Je détestais cette robe et j'ai détesté toute la soirée. Tu vois, je te comprends.

Je l'ai aidé à passer son gilet et nous sommes restés ensemble devant la télévision. À huit heures, il dormait avec les bras allongés devant lui, bercé par les vibrations qui faisaient remuer ses joues.

J'ai attendu jusqu'à minuit. Notre mère n'est pas rentrée.

DIMANCHE

— Tu crois qu'elle a passé la nuit avec lui ? demanda Tommy.

C'était le matin. Il était encore au lit, la télécommande dans la main. Un rayon de soleil filtrait à travers les rideaux fermés. Je n'ai pas répondu ; j'ai roulé de l'autre côté et j'ai fait semblant de dormir. Il passait d'une chaîne à l'autre. À la maison, il n'était pas autorisé à regarder la télévision dès le matin, et nous n'avions pas le câble. Ici, il se rattrapait.

Il s'est arrêté sur une chaîne de dessins animés. J'ai dû me rendormir, parce qu'un peu plus tard, il regardait une émission sans queue ni tête sur deux types qui pêchaient des crabes en

Alaska : On ne voyait que des vagues immenses qui menaçaient à chaque instant de faire chavirer la barque et les deux types qui hurlaient : « Ça va ? » eu guise de dialogue. Tommy a remis les dessins animés.

— Pourquoi elle fait ça, tu crois ?

— Il faut lui demander, j'ai dit, le nez dans l'oreiller. Elle doit le savoir.

— Elle est accro au sexe ?

J'ai pouffé de rire.

— Mais non, andouille, notre mère n'est pas accro au sexe !

— Alors pourquoi elle a passé la nuit dehors ? D'habitude, elle rentre, quoi qu'il arrive.

— Pas toujours. Tu devrais lui demander.

— C'est à toi que je le demande, Bee.

Je me suis assise brusquement et j'ai repoussé les cheveux qui me retombaient sur la figure. Je sentais encore les frites de la veille.

— Je crois qu'elle a peur de vieillir, peur de finir seule. C'est compliqué, tu sais.

— Mais nous, on est là. Nous sommes sa famille.

J'ai hoché la tête gravement. J'ai aperçu mon reflet dans le miroir derrière la télévision, et j'ai essayé de me coiffer avec les doigts.

— Elle ne fait pas ça pour nous faire du mal, elle le fait pour essayer de se sentir mieux. Je sais que ça peut te paraître bizarre, mais si un homme lui répète qu'elle est cool et sexy, elle se sent mieux. Elle ne réfléchit pas vraiment, elle réagit sous le coup de l'impulsion du moment.

— C'est nul. C'est vraiment bidon.

— Je suis d'accord.

— C'est un truc de filles ?

— Un peu, mais les garçons le font aussi. Beaucoup d'hommes séduisent une femme après l'autre en étant persuadés que si ça ne marche pas, c'est la faute de la femme. Ils ramassent toute leur vie le même petit caillou, et ils sont fous de rage quand ils s'aperçoivent que ce n'est pas une pépite.

— Ça, tu viens de l'inventer ?

— Quoi ?

— L'histoire de la pépite. C'était idiot.

Je lui ai lancé mon oreiller à la figure.

— C'est toi qui es trop bébé pour comprendre !

Je me suis levée pour aller me laver le visage dans la salle de bains. Quand je suis revenue, Tommy jouait à tenir son verre du dîner en équilibre sur son ventre.

— Allons prendre un petit déjeuner, j'ai proposé. Il fait trop beau pour rester enfermés.

— Allons voir Ty Barry, a répliqué Tommy en soufflant dans la paille pour faire un bruit de trombone. Il habite tout près d'ici.

— Mais on ne peut pas arriver comme ça chez lui sans prévenir.

— Il sait que nous sommes là. Il m'a dit de l'appeler aujourd'hui, et de lui dire ce que nous avions envie de faire. Tout le monde n'est pas aussi coincé que toi, Bee's Knees.

— Sale môme ! Tu vas voir, je vais t'apprendre le respect, moi !

Un autre en aurait profité pour se lever et provoquer une bagarre, mais pas Tommy. Il a décomposé le mouvement en trois temps. Se redresser. Sortir lentement du lit. Se mettre en position de karaté.

— Je peux t'écraser, microbe ! j'ai dit en prenant la même pose.

Il a fait des mouvements circulaires avec les poignets.

— Les mains de la mort !

— Attention au grand requin blanc ! j'ai crié en claquant des dents et en progressant lentement vers lui comme un requin fendant les flots.

Tommy m'a donné une petite tape.

— Quel pauvre petit requin, Bee's Knees !

— Tu es trop maigre pour être intéressant, petit homme. Je veux un bon phoque bien gras.

— Alors, mange-toi toi-même, parce que c'est toi, le seul bon phoque bien gras, ici !

J'ai fait semblant de lui mordre la jambe. Il a sauté d'un lit à l'autre pour m'échapper, puis il s'est immobilisé en me regardant d'un air grave. Il avait encore les mains en position de karaté.

— Allons-y, il faut partir avant qu'elle revienne.

— Partir sans la prévenir ? Ça ne serait pas très gentil.

— Elle n'a pas été très gentille non plus de passer la nuit dehors sans nous le dire.

— Elle va être furieuse. Vraiment furieuse.

— Peut-être que ça va lui donner une leçon.

— Une leçon ?

— Oui, une leçon : on ne peut pas se conduire mal avec les autres sans s'attendre à ce qu'ils se conduisent mal avec vous.

— C'est l'un des Dix Commandements, ça ? Il a baissé les mains.

— Je veux aller voir Ty Barry. C'est moi qui décide. J'y vais. Tu peux venir ou pas, Bee.

Nous sommes partis.

TROUVÉ SUR GOOGLE : Half Moon Bay est à une quarantaine de kilomètres au sud de San Francisco. La baie est bordée par la route 1, Cabrillo Highway, à 37° 27' 32" N / 122° 26' 13" W.

Elle se trouve à 16 km de San Mateo, à environ 72 km de Santa Cruz. Le recensement de

2000 a dénombré 11 842 habitants répartis sur 4 004 foyers.

Nous, nous y sommes allés pour une seule personne.

Ty Barry.

Chère maman,

Nous serons de retour demain. Nous sommes allés rendre visite à Ty Barry, un ami de Tommy qui habite ici. Nous t'appellerons quand nous serons arrivés. J'ai pris la moitié de l'argent qui restait. Nous n'avons pas envie de te faire de la peine. C'est simplement que nous en avons eu assez de t'attendre, et Tommy a vraiment très envie de voir Ty.

Bisous,

Bee et Tommy

J'ai collé la lettre sur le miroir de la salle de bains.

Pour sortir de San Francisco, nous avons pris un bus qui sentait l'essence et l'huile de vidange. Le chauffeur s'appelait Oti. Il regardait d'abord son rétroviseur de droite, puis celui de gauche, un coup d'œil sur la route, un coup vers l'arrière et à nouveau le rétro de droite, et ainsi de suite. De temps en temps, je captais son regard dans le rétroviseur arrière. J'avais envie de lui demander ce qu'il savait de Half Moon Bay, mais un écriteau placé au-dessus de son siège rappelait qu'il était interdit de parler au conducteur.

Tommy avait été malin : il s'était installé du côté droit, celui qui avait vue sur l'océan. De temps à autre, on apercevait un éclat de lumière, un reflet bleu ou une étendue de sable. C'était un dimanche matin ; il y avait de la paresse dans l'air. Nous étions seuls dans le bus avec deux jeunes qui s'étaient installés tout au fond, probablement pour fumer en paix.

— Qu'est-ce que vous allez faire dans ce coin ? nous demanda Oti au bout d'un quart d'heure.

— Nous voulons voir Mavericks.

Les yeux d'Oti me cherchèrent dans le rétroviseur.

— Mavericks ?

— Un spot de surf, expliqua Tommy. Il y a des vagues géantes qui arrivent tout droit des îles Aléoutiennes, en Alaska. Elles peuvent faire jusqu'à quinze mètres.

Oti a hoché la tête.

— Jamais entendu parler ; mais je sais qu'il y a plein de surfeurs dans le coin.

— Il y a aussi des requins par ici, dit Tommy. C'est le Triangle Rouge.

— Oh, ça oui, je sais ! Les grands blancs, c'est ça ?

— Oui, dit Tommy.

— Bon Dieu ! Je regarde *La Semaine des requins* tous les ans ! Je ne raterais ça pour rien au monde. Tu as entendu parler de ces gosses qui se battaient avec des requins, immergés dans des cages métalliques ?

— Au Mexique ?

— Non, à Hawaï, chez moi. C'est là que je suis né. C'est une sorte d'épreuve initiatique pour les jeunes hommes. Des archéologues ont trouvé des restes de cages très anciennes. On descendait des gamins de douze ans là-dedans avec une lance pour se défendre, et les mômes devaient retenir leur souffle et combattre les requins sous l'eau. C'était incroyable.

— Je n'ai jamais entendu parler de ça, dit Tommy.

— Je te le dis, c'était incroyable.

Tommy approuva de la tête. Il se penchait sur son siège pour mieux voir Oti.

— C'était une épreuve initiatique pour mesurer la virilité des jeunes gens, comme ils font en Afrique en envoyant les gamins tuer des lions. Sérieux, je ne plaisante pas, ajouta Oti en freinant pour laisser passer le flot de voitures derrière lui.

Une odeur de fumée de cigarettes montait de l'arrière du bus.

— Hé ! vous là-bas, cria soudain Oti, les yeux sur son rétroviseur arrière, c'est interdit de fumer dans le bus !

Les gamins se mirent à rire.

— Si vous m'obligez à m'arrêter, vous allez cesser de rire !

Les gamins ont peut-être éteint leurs cigarettes ; c'était difficile de vérifier.

— Il y a un surfeur à Mavericks, commença Tommy en soufflant un peu, qui a été fauché par un requin. Il ramait sur son surf près d'un spot qui s'appelle Mushroom Rocks, et il bavardait avec un ami. Ils étaient en eau profonde avec un fond de varech. Un requin est sorti des profondeurs et l'a projeté en l'air. Quand il est retombé, il avait pratiquement le bras autour du museau d'un grand blanc. Vous imaginez ça ? Le requin a filé et le surfeur s'est accroché à lui. Il a dit qu'il avait eu l'impression de monter un taureau, mais un taureau avec trois rangées de dents épouvantables.

Oti a secoué la tête d'un air abasourdi.

— Bon sang de bon sang de bon sang.

— C'était en 2000, reprit Tommy. La première attaque de requins à Mavericks. Il y en a eu au moins une autre connue depuis.

— Ils prennent les surfeurs pour des phoques, pas vrai ? Qu'est-ce qu'il y a, Tommy, ta sœur n'aime pas les requins ? a demandé Oti qui me surveillait du coin de l'œil.

Il m'a fait un sourire. Il était plutôt mignon, à sa manière.

— Nous sommes encore loin ? j'ai demandé.

— Pas très. Vous connaissez votre arrêt ?

— Près du centre-ville, je suppose.

Il a hoché la tête et jeté un coup d'œil vers l'arrière.

— Je vois vos cigarettes, espèces de faux-jetons ! Si vous croyez que je suis aveugle !

*

Installé près de la baie vitrée qui donnait sur l'océan, Tommy commanda des gaufres et du bacon avec un jus de pamplemousse ; j'ai demandé des œufs brouillés. La serveuse nous apporta nos plats l'un après l'autre, comme si elle avait du mal à s'en séparer. Elle avait un liseron tatoué sur le cou et l'épaule droite. En chuchotant, Tommy m'informa qu'il l'avait rebaptisée *Poison Ivy*[1]. C'est le nom de l'un des ennemis mortels de Batman.

1. Sumac vénéneux ou herbe à puces, plante grimpante très commune en Amérique du Nord, qui provoque des réactions allergiques sévères. *(N.d.T.)*

Malgré Poison Ivy, le restaurant était agréable ; il donnait sur l'océan. Nous avions marché longtemps en descendant du bus, en direction du centre commercial qu'Oti nous avait indiqué. Il nous avait aussi montré une vieille brochure touristique qu'il gardait sur son tableau de bord ; nous savions que le *Ritz-Carlton*, un complexe balnéaire gigantesque, dominait Half Moon Bay depuis une colline à trois kilomètres de la plage.

— J'ai du mal à croire que nous y sommes vraiment, remarqua Tommy quand Poison Ivy eut tourné le dos. Je veux dire, c'est tellement beau et sympathique ici, c'est difficile de croire que des requins attaquent les gens dans l'eau.

— Il n'y a pas eu tant d'attaques que ça.

— Ils s'en prennent aussi à ceux qui font du kayak, tu sais. L'un d'eux a soulevé le nez d'un kayak et il l'a secoué jusqu'à ce que le type tombe à l'eau.

— Tu es complètement frappé, Tommy, tu sais ça ?

Tommy fit remuer ses sourcils.

— J'ai eu l'impression que tu plaisais bien à Oti. Il n'arrêtait pas de te regarder.

— Il était totalement à ma merci.

Tommy attaquait sa gaufre ; il s'interrompit.

— Tu es très jolie, Bee. Des tas de mecs le pensent.

— Je sais. Ils se pressent tellement à ma porte que je dois la remplacer tous les week-ends.

— Tu *es* jolie, Bee, insista Tommy d'une voix grave, la fourchette en l'air. Tu ne le sais même pas, et pourtant c'est vrai. Si tu voulais un fiancé, ce serait facile pour toi, tu n'aurais qu'à choisir.

— Et qui, par exemple ?

— Ricky. Ou Jeff. Ces deux-là te trouvent géniale. Je les ai entendus parler de toi.

Ricky et Jeff collaboraient au journal de notre lycée ; ils étaient venus deux ou trois fois à la maison.

— Mange tes gaufres, espèce de petit bouffon.

— Tu pourrais les prendre pour amoureux.

— Jeff est bigleux et Ricky est trop fier de lui. En plus, je n'ai pas de temps à perdre avec les garçons en ce moment.

— Oh, c'est vrai, j'oubliais que tu n'avais pas le temps de t'amuser. Il faut que tu sois responsable de la bonne marche de l'univers.

— Espèce de sale petit *Miochosaurus Rex* !

— Il faut penser à faire des choses pour toi de temps en temps, Bee.

— Je ne sais pas prendre des vacances.

— Ça, tu peux le dire.

— Tu me trouves vraiment trop coincée ?

— Non, pas vraiment ; c'est juste que tu prends les choses trop au sérieux. Tu pourrais apprendre à être plus relax, tu vois, tu n'es pas obligée de présider tous les groupes d'élèves que tu rencontres.

— De toute façon, les garçons sont trop bizarres. La moitié du temps ils sont prêts à tacler tout ce qui passe et l'autre moitié, ils font tout pour éviter les filles.

— Des tas de mecs vont avoir envie de faire ta connaissance, Bee. C'est maman qui le dit. Elle dit que tu es en train de devenir un cygne.

— Elle délire complètement. Je ne suis pas un cygne !

— Mais si ! Maman dit que tu vas être magnifique quand tu auras fini de grandir, et elle a raison. Tu es la seule qui ne voit rien.

— Vous avez besoin de lunettes, tous les deux.

Tommy m'a regardée. Je connaissais ce regard ; il ne mentait pas. Tommy dit toujours exactement ce qu'il pense.

— Tu peux demander du miel à Poison Ivy ?

Je lui ai demandé du miel, et nous avons fini nos déjeuners en silence, en contemplant l'océan. C'était une belle matinée, idéale pour la plage. Tommy avait l'air heureux. Pour la première fois depuis le début du voyage, nous étions vraiment en vacances. Je savais que notre

mère allait être furieuse de notre escapade, mais
ça m'était complètement égal. Tommy aussi
s'en fichait ; après tout, c'était elle qui était
partie la première. Si nous étions restés à l'attendre, elle aurait réapparu en fin de matinée
avec une excuse bidon, du genre un pneu crevé
ou une panne. Vivre avec elle, c'était comme
rater l'avion tous les jours. Elle n'avait aucune
notion du temps. Je pensais que j'allais l'appeler un peu plus tard.

— Alors, tu as l'adresse de Ty Barry sur toi ?

— 23, Oakmont.

— Et tu es sûr qu'il nous attend ?

— Je l'ai appelé de l'hôtel pendant que tu
prenais ta douche. Je l'ai réveillé. Il n'était pas
fâché, ajouta-t-il en me jetant un regard piteux,
il m'a juste donné son adresse en me disant
de venir. Les mecs, tu sais, sont beaucoup plus
cool quand il s'agit de s'organiser.

— Oh, vraiment ?

— Oui, Bee.

— Tu es tellement content de toi.

Tommy a fait semblant d'aspirer son fond de
verre avec sa paille jusqu'à se mettre à loucher.

— Il faudra qu'on réserve une chambre
quelque part, alors, et il faut aussi qu'on te
mette ton gilet.

— Je me sens très bien, dit Tommy.

— Allons te passer ton gilet sur la plage, et renseignons-nous pour savoir comment aller chez Ty. Ça te va ?

— Cool ! dit Tommy en prenant l'air détaché d'un ado comme les autres.

Il paraissait très petit sur sa banquette, et il était un peu rouge.

— Tu es à peu près aussi cool qu'un frigo, tu sais ça ? j'ai dit.

— Les frigos sont des éléments indispensables de notre vie. On y va ? Tu demandes la note à Poison Ivy ?

Après avoir réglé l'addition, j'ai recompté les billets qui restaient dans l'enveloppe : plus de trois cents dollars. Nous avions largement de quoi nous payer une chambre pour la nuit.

— Oti te trouvait vraiment canon, reprit Tommy qui ne se lassait pas de son nouveau jeu. Un canon exotique du New Hampshire.

— Tu es dingue.

Quand Tommy a ouvert la porte du restaurant, les cris des mouettes nous ont accueillis.

TOMMY INFO SUR LES REQUINS # 6 : Un grand blanc a cinq ouïes. Les grands blancs se reproduisent une fois tous les deux ou trois ans en moyenne ; les portées sont de cinq à dix bébés. On les trouve dans toutes les eaux côtières tempérées, à dix mètres comme à mille trois cents mètres de fond. Ils vivent près des côtes qui s'étendent de la Californie à l'Alaska, sur les côtes est et sud des États-Unis, à Hawaï, en Amérique du Sud, en Australie (sauf au nord), en Nouvelle-Zélande, Afrique de l'Ouest et Scandinavie, en mer Méditerranée, au Japon et sur la côte orientale de la Chine et de la Russie.

Les grands requins blancs sont de retour à Cape Cod et sur les plages de la côte est américaine ; en fait, ils n'ont jamais vraiment disparu. Grâce à de meilleures conditions écologiques, les phoques aussi ont réapparu. Partout où l'on voit des phoques, on peut être sûr que les requins vont suivre. En 2009, un groupe de touristes stupéfaits a assisté à l'attaque d'un grand blanc sur un lion de mer, à soixante-dix mètres d'une plage surpeuplée de Cape Cod. Parce qu'il y a de plus en plus de gens dans l'eau en toutes saisons, et d'athlètes qui nagent dans l'océan sur de longues distances, on peut prévoir que les rencontres entre humains et requins seront de plus en plus nombreuses.

*

Tommy est assis sur la plage à l'ombre d'un palmier, les bras tendus, la poitrine serrée dans le gilet vibrant. Des mouettes fendent le ciel bleu ; quelquefois, elles se posent près de nous en piaillant pour réclamer des restes. Les vagues viennent rouler sur le sable de Half Moon Bay. Un demi-mile au large, elles cassent, virent au blanc et s'étirent en longs rouleaux impressionnants. Plus près du bord, la houle se forme à nouveau avant de venir s'abattre sur la plage. *Mavericks*, avait dit Tommy. Le paradis des grands requins blancs, celui des loutres de mer qui dorment ventre à l'air sur des lits de varech et qui savent casser les coquilles d'abalones contre leur poitrine. Dans l'eau, les grands blancs passent à travers les varechs comme des gangsters qui écartent un rideau de macramé. Tommy ne quittait pas la mer des yeux ; ses lèvres vibraient un peu avec le gilet, mais en imagination, il était au fond de l'eau, parmi les requins perpétuellement en chasse. Les requins et les phoques. Il dit que sous la surface, l'océan est tout sauf tranquille. Il écoute le bruit des vagues sur son ordinateur, leur bruissement régulier, le *flip-flop* des êtres vivants qui s'enfuient pour échapper au danger. Un aileron fend l'eau avec un crissement léger ; l'œil du requin qui cherche sa proie est voilé d'une membrane translucide.

Il est temps de revenir sur terre.

— Comment tu te sens ?

Il hoche la tête.

— Encore un petit moment, d'accord ?

Il hoche la tête.

*

Nous avons pris un taxi jusqu'à la maison de Ty Barry. Tommy a dit qu'il saurait la reconnaître : elle était peinte en rose. Je l'ai aperçue la première. C'était une maison basse entourée d'une pelouse ensablée. Quelqu'un avait oublié un tricycle près de l'entrée et des pots de cactées complètement desséchées pendaient au bord du chemin. Sur le mur qui faisait face à la mer, la peinture rose s'écaillait, laissant apercevoir le bois dont la teinte d'origine avait viré au gris argenté. Trois frisbees rouge vif abandonnés sur le toit goudronné faisaient penser à des hublots ou des lunettes. Dans le jardin de derrière, ou à l'intérieur peut-être, quelqu'un avait mis de la musique en poussant le son au maximum.

Avant de descendre du taxi, Tommy me prit la main et la serra.

— Tout ira bien, je lui dis, sachant qu'il est toujours intimidé par les inconnus.

— Mais j'ai l'air de rien !

— Qu'est-ce que tu veux dire ?

Il haussa les épaules en gardant la tête baissée.

— Qu'est-ce que tu as ? Tommy ?

— Je dois pas être le genre de type avec qui Ty Barry aura envie d'être ami.

— Oh, Tommy ! Il faut faire confiance aux gens... Il a beaucoup de chance de faire ta connaissance, tu sais, ce Ty.

— Il a fait... il a fait un tas de choses, tu sais. Tout le monde le connaît, il a du succès... Moi, je suis juste E.T.

— Tommy, tu as le cœur d'un lion, et je ne connais personne qui soit meilleur que toi.

Il haussa les épaules encore une fois, puis il fit signe qu'il était prêt. J'ai payé le taxi et nous sommes sortis. Pendant une seconde, devant le sentier, je l'ai vu non plus comme mon frère, mais comme un petit garçon malade à vie, avec un corps trop faible et une tête trop grosse et un cœur trop facile à blesser. Sur son visage, l'espoir se mêlait à l'appréhension, comme s'il savait qu'il convenait de ne pas trop attendre de la vie, mais qu'il ne pouvait pas s'empêcher d'espérer quand même. J'ai eu le cœur serré et j'ai détourné les yeux. Il s'est mis en marche vers la maison, avec son petit sac à dos brinquebalant entre ses omoplates.

— Tommy ?

— Quoi, Bee ?

— Tu es un type super, Tommy. Je veux que tu le saches.

Un autre aurait fait la grimace ou haussé les épaules. Tommy, étant Tommy, est revenu sur ses pas pour me serrer dans ses bras.

— On dirait que tout le monde est à l'arrière, a-t-il dit d'un air soucieux.

Nous avions frappé à la porte plusieurs fois sans succès.

— Faisons le tour.

Nous avons marché main dans la main d'abord, puis Tommy est parti devant. Au fur et à mesure que nous avancions, la musique devenait plus assourdissante. Une haute palissade de bois délavé encerclait la cour. Quand Tommy a poussé le portail, une vague de son nous a frappés au visage. Dans la lumière vive du début d'après-midi, nous avons découvert un patio qui donnait sur la cuisine. Quelqu'un avait construit une rampe de bois qui faisait toute la longueur de la façade. Deux garçons, accoudés à une table de jardin, en regardaient un troisième qui, coiffé d'un casque, descendait la rampe en skateboard.

Les garçons ont relevé la tête quand nous sommes entrés. Le skateur oscillait d'avant en arrière en maintenant sa planche en déséquilibre apparent sur le rebord de la rampe.

— Ty Barry habite ici ? demanda Tommy.

Les garçons firent des grimaces pour indiquer qu'ils n'entendaient rien. J'ai crié assez fort pour couvrir la musique.

— Ty Barry ?

Avant qu'ils aient eu le temps de répondre, un homme est sorti de la cuisine. Il était plus âgé que les autres mais n'avait pas beaucoup plus de vingt-cinq ans. Grand, mince, bronzé, il marchait pieds nus. Ses cheveux blondis par le sel étaient attachés dans la nuque. Je ne pouvais pas l'imaginer en autre chose qu'en surfeur.

— Ty ? a demandé Tommy.

— C'est moi. Et toi, tu dois être Tommy du New Hampshire.

Ty s'est approché, la main tendue. Ils ont échangé une espèce de salut en plusieurs temps avec la paume ouverte puis avec le poing. J'ai été étonnée que Tommy sache y répondre, et puis Ty m'a serré la main. Il souriait. Il avait les dents très blanches.

— Attendez une seconde, je baisse la musique, a-t-il crié. C'est mon petit frère Little Brew sur la rampe. Il a seize ans.

Ty a fait signe aux trois autres qu'il allait éteindre et il s'est engouffré dans la maison. Deux secondes plus tard, le vacarme a cessé. Little Brew a sauté de la rampe ; sa planche l'a descendue sans lui. Quand il a enlevé son casque, j'ai senti mon cœur s'arrêter. Il était superbe, les yeux bruns, les cheveux aux oreilles, les épaules parfaites, larges et musclées. Savait-il à quel point il était séduisant ? Impossible de le dire. Il avait l'air en tout cas de n'y attacher aucune importance. Il souriait d'un sourire qui venait du cœur, naturel et amical. Le soleil lui avait décoloré les cheveux jusqu'au blond foncé, plus clair aux pointes, et sa peau avait la couleur du caramel. Je l'ai dévisagé sans croire vraiment qu'un garçon aussi beau pouvait exister ailleurs qu'au cinéma. J'étais paralysée.

— C'est vous qui venez du New Hampshire ? il a demandé en me tendant la main. Les dingues des requins ?

Il a répété le même salut compliqué avec Tommy et a conclu par un très léger coup de poing à la poitrine, puis il s'est tourné vers moi.

— Je ne suis là que pour accompagner Tommy. Je suis sa grande sœur, Bee.

Little Brew m'a regardée, longtemps. Je ne savais pas quoi ajouter. C'est Tommy qui est venu à mon secours.

— J'étudie les requins blancs, mais en amateur seulement.

— Bon, alors vous pouvez dire bonjour à mes potes : je vous présente Frankie et Kobie.

Nous nous sommes serré la main, puis Kobie est monté sur la rampe avec son skate. J'ai reconnu certaines de ses figures pour les avoir vues sur MTV. Il allait et venait, atteignait presque l'extrémité de la rampe et s'envolait avant de redescendre de biais. Je n'osais pas détourner les yeux vers Little Brew, de peur de me faire remarquer.

— Vous aimez le skate ? Vous pouvez vous asseoir, vous savez, a-t-il dit. Vous serez mieux pour regarder.

— Merci, a dit Tommy.

Nous nous sommes installés à la table. Pendant que j'aidais Tommy à se débarrasser de son sac à dos, Ty est revenu près de nous, une planche de surf sous le bras. Tommy s'est dressé dès qu'il l'aperçue. Il savait ce que c'était. Ty l'a posée sur la table.

Un demi-cercle parfait d'empreintes de dents marquait toute la largeur de la planche.

— Incroyable, a dit Tommy.

Il a étendu la main pour toucher les traces de dents. La fibre de verre était enfoncée à l'endroit de l'impact. La mâchoire avait entamé la partie la plus large de la planche ; il ne fallait pas beaucoup d'imagination pour voir comment le bras d'un surfeur en train de ramer aurait pu être sectionné aussi facilement qu'une carotte.

— J'avais vu des photos, murmura Tommy en caressant la planche du bout des doigts, mais ça, c'est différent...

— Oui, c'est ce que tout le monde dit, approuva Ty. C'est incroyable, les réactions des gens ; souvent, ils ne peuvent pas en détacher les yeux.

Il avait visiblement l'habitude.

— Ça t'ennuierait de me raconter ? demanda Tommy.

— Oh, le voilà reparti ! s'écria Little Brew, pendant que Frankie s'élançait sur la rampe pour échapper à la conversation. Il a déjà raconté cette histoire des millions de fois ! Et à chaque nouvelle attaque de requins, les journalistes l'appellent de partout et ça recommence !

— C'était très bruyant, poursuivit Ty sans faire attention à son frère. C'est vraiment bizarre d'entendre un bruit pareil en plein milieu de l'océan : le bruit de dents qui broient une planche de surf. Je t'ai raconté tout ça par mail, alors tu connais les détails.

— Oui, mais c'est comme voir la planche pour de bon, c'est différent. Je voudrais t'entendre dire l'histoire. Est-ce que tu as senti la présence du requin dans l'eau ? Juste avant qu'il attaque ?

— C'est un peu l'impression qu'on peut avoir juste avant un orage. Tout était silencieux et tranquille, mais c'était le genre de calme qui précède quelque chose. Un type que je connais m'a dit que les grands blancs créent du silence autour d'eux. Les poissons s'enfuient, les phoques disparaissent. C'est comme si le meilleur tireur de l'Ouest entrait brusquement dans un saloon, tu vois.

J'ai croisé le regard de Little Brew.

— Tu devrais les emmener à la crique, pour voir le phoque, a-t-il proposé.

— Un phoque s'est échoué hier, avec une marque de dents géantes dans le cou, dit Ty. Un grand blanc, probablement. Le phoque avait réussi à s'échapper, mais il a saigné à mort.

— Ça arrive souvent, ajouta Little Brew. Mais les garde-côtes vont l'enlever, alors si vous voulez le voir, vous ne devriez pas tarder.

J'ai posé à Ty la question qui me brûlait les lèvres.

— Tu continues à surfer ?

— Bien sûr ! J'ai calculé que statistiquement, les chances de se faire attaquer *deux fois* par un requin sont infimes. Je suis le surfeur le mieux protégé du monde.

— En ce moment, intervint Little Brew, on a une bonne houle qui continue à monter. Il y a des séries de près de six mètres. On y va demain, tu peux venir avec nous si tu veux. Il n'y a pas cours, c'est le jour de Christophe Colomb[1].

---

1. Le *Colombus Day* (second lundi d'octobre), commémorant l'arrivée de Christophe Colomb sur le continent en 1492, est jour férié aux États-Unis. *(N.d.T.)*

— On ne raterait ça pour rien au monde, dit Tommy avant que j'aie eu le temps de répondre. D'accord, Bee ?

— On verra. Il ne faut pas oublier que nous avons un avion à prendre demain soir.

— On y va très tôt, dit Little Brew. Tout le monde sera là ; il y aura aussi une équipe de cinéma qui filme pour une promo, avant la grande compétition internationale de novembre.

J'ai regardé Ty. Il m'a regardé ; il a hoché la tête.

Son hochement de tête me disait qu'il allait veiller sur Tommy.

Je lui ai fait signe, moi aussi, en vérifiant dans ses yeux que je ne me trompais pas.

Pour aller voir le phoque échoué, nous sommes partis dans un vieux minibus aménagé qui semblait prêt à tomber en pièces détachées. Little Brew était à l'arrière avec moi ; il portait toujours son vieux jean coupé au genou, déchiré par endroits, et un bandana rouge autour du front. J'ai remarqué qu'il avait un petit nautile tatoué au mollet droit. Tommy était à l'avant, à côté de Ty qui conduisait. Les vitres étaient baissées ; c'était bon de sentir le vent salé nous fouetter le visage. Je ne sais pas ce que Ty avait dit à son frère, mais les deux garçons traitaient Tommy avec une grande sollicitude. Ils ne le protégeaient pas comme un bébé ; ils le taquinaient gentiment, lui disaient qu'il était complètement malade avec ses requins. Little Brew avait décidé que Tommy avait besoin d'un nom indien, un nom qui le protège des attaques des grands prédateurs. Il avait essayé et rejeté à tour de rôle tous ceux qui lui venaient à l'esprit jusqu'à ce qu'il trouve *Poney des neiges.* C'était un nom absurde qui allait très bien à Tommy, et je le voyais rougir de fierté chaque fois qu'ils l'employaient. J'écoutais Little Brew lui expliquer qu'il était beaucoup trop coincé, comme tous les habitants de la côte est. Personne n'avait jamais donné de surnom à Tommy. Personne ne l'avait adopté aussi facilement.

Nous nous sommes arrêtés à une petite épicerie pour acheter dix canettes d'*Arnold Palmer,* un mélange de thé glacé et de limonade que Ty et Little Brew buvaient comme de l'eau. Tommy goûta avant de me passer la canette. C'était acidulé et sucré à la fois.

— Qu'est-ce que ça veut dire, Little Brew ? J'ai demandé. Est-ce que c'est ton nom amérindien ?

— Oh, ça ! Sérieux, il vaut mieux pas savoir.

— Allez, dis-leur, insista Ty en lui jetant un coup d'œil dans son rétroviseur, ou c'est moi qui vais tout leur raconter.

Little Brew soupira.

— Il y avait un joueur de baseball autrefois qui s'appelait Harmon Killebrew. C'était le joueur préféré de mon père parce que Harmon Killebrew était le seul capable de jouer dans l'équipe des Minnesota Twins pendant ces années-là. Mon père vient du Minnesota. Alors, quand j'étais petit, je croyais que le type s'appelait Little Brew¹ et ils ne m'ont jamais dit que ce n'était pas ça, pas avant une centaine d'années au moins. Chaque fois que j'en parlais, ils trouvaient ça mignon, alors qu'en fait, j'étais un âne et que ça les faisait rire.

— Notre père prenait une voix de commentateur sportif et il annonçait : « Et maintenant, à la batte, *Jasonnnnnn Little Brew !* » Et mon abruti de petit frère croyait que c'était son nom !

— Et c'est resté, conclut Little Brew. Voilà comment c'est arrivé.

— Alors, ton vrai nom, c'est Jason ?

Il a hoché la tête.

— Moi, j'aime beaucoup Little Brew, j'ai dit.

Il a souri. En s'étirant, il a touché ma jambe avec son mollet nu et j'ai senti comme une pierre me descendre sur l'estomac. Une de plus. J'avais peur d'étouffer avec tous ces cailloux qui m'empêchaient de respirer.

---

1. Littéralement, Petit Bouillon. *(N.d.T.)*

— C'est vrai ? L'année dernière, j'avais décidé de demander à tout le monde de m'appeler Jason : les amis, les professeurs, tout le monde, enfin. Mais personne n'a fait l'effort longtemps. Certains m'appellent L.B., mais personne n'essaie vraiment Jason.

— Il y a longtemps que tu surfes ? j'ai demandé.

— J'ai commencé petit ; on pose une planche là où l'eau n'est pas profonde, et on laisse les bébés monter dessus. Je devais avoir trois ans, à peu près, la première fois. Un peu plus tard, quand on tient un peu mieux, on apprend à se mettre debout. C'est mon père qui m'a appris, et à Ty aussi.

Ty regarda Tommy.

— Tu sais, mon père a été suivi par un grand blanc un jour. Il faisait du kayak avec un groupe d'amis et un requin les a suivis pendant peut-être cinquante mètres avant de disparaître. Mon père raconte qu'il avait vraiment un très grand aileron.

— On a de drôles de *mojos* avec les requins dans la famille ; ça ne fait pas de doute, dit Little Brew.

— Vos parents habitent ici, dans la maison ? j'ai demandé.

— Ils sont divorcés, au dixième degré à peu près, répondit Little Brew. Maman vit au

Mexique, elle dessine des carreaux de faïence, et papa vend du matériel chirurgical. Il voyage beaucoup. Ils ont acheté la maison pour les vacances il y a des années, mais nous y sommes en permanence maintenant ; papa nous y rejoint quand il peut.

Ty se gara au pied d'une dune qu'un sentier traversait en son milieu.

— Poney des neiges, dit-il, tu es prêt à voir les dégâts faits par un grand blanc ?

— Tu me le demandes ?

Il a fallu que je l'aide à descendre de la camionnette ; il déteste ça, mais il l'a supporté. Pendant que nous étions tous les deux hors de vue des garçons, il s'est penché pour me chuchoter quelque chose à l'oreille.

— Tu plais *vraiment* à Little Brew.

— Tais-toi, idiot, j'ai chuchoté à mon tour.

— Je sais ce que je sais.

Il a levé le pouce et l'auriculaire comme les cornes d'un taureau et me les a enfoncés dans le sternum pour bien marquer ses paroles. Il était tellement en forme que je ne pouvais pas m'empêcher de lui sourire. Et après tout, ce qu'il venait de dire n'était peut-être pas complètement stupide.

Little Brew approchait.

— J'espère qu'ils ne l'ont pas enlevé ; Frankie l'a vu hier.

Nous avons senti le phoque avant de le voir. Des nuages de mouettes tournoyaient dans le ciel au-dessus de lui ; quelques corbeaux sautillaient dans le sable, attendant leur tour comme des vieux ecclésiastiques. Il fallait se mettre pieds nus pour escalader la dune. Ty et Little Brew avaient pris de l'avance pendant que j'aidais Tommy à enlever ses chaussures. Le sable coulait entre mes orteils, frais et doux. L'air marin chassait l'odeur infecte que répandait la bête morte.

Nous avons croisé un chien, un golden retriever, avant d'arriver à la bête échouée. Un homme en short venait vers nous, rouge et essoufflé. Il n'avait pas l'air content. J'ai compris pourquoi quand j'ai senti l'odeur du chien.

— Il y a un phoque échoué sur la plage, a dit l'homme. Cet idiot de chien s'est roulé dessus.

— Ça pue, mec ! s'est écrié Little Brew en s'écartant. Il faut le laisser aller dans l'eau.

— Il en sort ! répondit l'homme en tirant sur la laisse.

— Les entrailles de phoque, ça n'est pas la meilleure odeur du monde, conclut Ty.

— Tu imagines faire un trajet en voiture avec ce chien à côté de nous ? demanda Little Brew.

Tommy aperçut le phoque et se dirigea droit vers lui. Il marchait vite, aussi vite que la veille sur Fisherman's Wharf, les yeux fixés sur son but. Il boitait un peu, mais ça ne le ralentissait pas. Son approche a dérangé les mouettes. Il a fait un geste de la main comme pour les congédier, et elles se sont éparpillées en virant sur l'aile pour tourner autour de lui.

Même en tenant compte de la part prélevée par les mouettes, on voyait encore très bien la violence de l'attaque. Le sang qui avait coulé le long de la gorge avait pris une teinte de rouille. Les lambeaux de muscle et de tendons avaient été sectionnés et laminés par les dents du requin. La marée avait porté le phoque loin sur le sable et l'avait laissé là, hors d'atteinte des vagues.

Il puait, il puait horriblement. J'ai détourné la tête, incapable de supporter son odeur, mais Tommy s'est agenouillé à côté de lui. Du bout d'un bâton qu'il avait ramassé, il a touché la blessure béante. Ce que l'animal avait été, l'énergie qu'il avait eue pour défier les vagues les plus hautes et échapper aux prédateurs qui le guettaient depuis les fonds marins, tout cela avait disparu d'un coup.

Je n'avais pas envie de m'approcher ; cette bête échouée me donnait la nausée. À mon grand soulagement, Ty est allé près de Tommy. Je suis restée en retrait avec Little Brew.

— Ils décapitent souvent les phoques, dit
Tommy sans relever les yeux. Je n'ai pas l'impression que c'était un requin géant cette fois-ci,
mais on voit bien la morsure.

— C'est assez courant d'en retrouver sur
la plage, puisque c'est la saison de la chasse,
ajouta Ty.

— C'est incroyable qu'il ait eu la force de
se sauver après une morsure pareille.

— Oui, c'est terrible. Mais le requin a peut-
être été distrait. Il a pu attaquer une autre proie
en même temps, une plus appétissante encore.

— Vous êtes complètement morbides, les
mecs, dit Little Brew. Bee et moi, on va aller
nager. Vous voulez venir ?

Je me suis demandé si Little Brew se rendait
compte de ce qu'il disait : il me proposait d'aller nager à l'endroit précis où un requin venait
de dévorer un phoque ? Mais j'avais envie de
le suivre et j'ai ignoré le reste. J'étais contente
d'avoir pensé à mettre un maillot de bain sous
mon short.

— D'accord, j'ai dit. Ce sera mon premier
bain dans le Pacifique.

— On arrive, dit Ty. Tu en as vu assez,
Poney des neiges ?

Tommy ne pouvait pas quitter le phoque
des yeux.

— Je ne savais pas comment ça allait être, en vrai. C'est dingue !

— S'ils veulent manger, il ne faut pas qu'ils fassent les choses à moitié. Dans la plupart des cas, le phoque est tué sur le coup. L'impact est énorme.

— J'ai du mal à croire que tu aies pu ressentir le même impact et être là pour le raconter.

— C'est ma planche qui a pris le coup ; si ç'avait été moi, je ne serais plus là.

Ty se releva et épousseta le sable de ses genoux, imité par Tommy. Quelques mouches qu'ils avaient dérangées tournaient autour d'eux.

Nous avons suivi le sentier jusqu'au bord de l'eau. Le soleil baissait à l'horizon. Les vagues s'abattaient avec fracas sur les coquillages et les galets pour se retirer et revenir encore. Little Brew enleva sa chemise et se mit à courir vers l'océan. Il plongea sous la première vague pour réapparaître plusieurs mètres plus loin, au-delà de la zone où les vagues se brisent. Ty se mit à rire, et moi, je me surpris moi-même en laissant glisser mon sac sur le sable et en enlevant très vite mon short et mon tee-shirt. J'ai marché prudemment jusqu'au bord. Little Brew ne m'a pas fait signe en m'appelant et en faisant tout un cinéma parce qu'il était déjà dans l'eau. J'appréciais sa discrétion. En faisant de mon mieux pour avoir l'air détendu, je suis entrée dans l'eau glacée jusqu'à la taille, et j'ai plongé.

Je sais, c'est ballot, mais j'ai pensé : *Je suis en train de nager dans l'océan Pacifique !* Et j'ai coché la case dans ma liste des choses à faire avant de mourir.

Little Brew nageait vers moi, irrésistible avec ses cheveux trempés qui lui retombaient dans les yeux et sa peau perlée d'eau. Il nageait merveilleusement, abordant les vagues avec une aisance parfaite. Je battais des pieds près de lui. Je savais que si je les posais sur le fond sableux, la force du courant allait me faire perdre l'équilibre.

— C'est frais, hein ? Est-ce que c'est aussi froid dans le New Hampshire ?

— C'est glacial ! On ne nage pas vraiment, on se contente d'entrer dans l'eau et de ressortir.

— Vous avez des plages ?

— Vingt-huit kilomètres, cinquante-six mètres.

Il me regardait d'un drôle d'air, alors je lui ai expliqué.

— À l'école primaire, on nous fait apprendre par cœur les notions de base sur notre État : notre oiseau, c'est le roselin pourpré, notre fleur le lilas, notre légume la citrouille. La montagne la plus haute, c'est le mont Washington, etc.

— Impressionnant.

— Idiot.

— Idiot mais dans le genre impressionnant.

Nous avons nagé un moment côte à côte sans rien dire, et puis je l'ai remercié d'être aussi gentil avec Tommy. J'ai vu son expression s'adoucir.

— Ty l'adore, alors c'est normal. C'est vrai, tu sais : ils sont tout le temps en train d'échanger des mails. Cette histoire de grand requin blanc, c'est trop sérieux pour qu'on l'oublie et qu'on tourne la page, mais on ne peut pas non plus continuer à ne parler que de ça toute sa vie. Je crois que discuter avec Tommy aide Ty à y voir clair. C'est un lien entre eux.

— Mais pour Tommy, c'est très important d'avoir des amis à qui parler. Peu d'enfants de son âge sont capables de l'accepter tel qu'il est, alors il est assez seul.

— C'est un môme cool. Ty m'a dit qu'il avait une mucoviscidose ; ça affecte ses poumons ?

— Oui. Il aura toujours du mal à respirer.

— C'est dur.

Il s'est mis à nager plus près. J'avais l'impression que sa beauté rayonnait autour de lui. Je n'avais jamais été impressionnée par un garçon jusque-là, mais Little Brew m'attirait vraiment. Nous nous regardions sans arrêt. Parfois, il me semblait que c'était *ce regard-là,* et parfois non, mais au bout d'un moment, j'ai pensé que je ne le connaissais même pas, *ce regard-là.* Je ne pouvais que deviner. Ce que je savais, en revanche, c'est que j'avais envie d'être aussi proche de lui que possible, envie de me fondre littéralement en lui, de respirer par sa bouche et de sentir mon cœur battre dans le sien. Je voulais sentir sa peau se mêler à ma peau. J'ai dû me forcer à respirer calmement.

— Il a de la chance d'avoir une sœur comme toi ; on voit que tu l'adores. Il n'y a pas beaucoup de filles capables de passer leur temps avec leur petit frère.

— C'est la personne la plus intéressante que je connaisse.

Un sourire passa sur le visage de Little Brew.

— Je comprends, je suis très proche de mon frère moi aussi. Il n'était pas obligé de me prendre avec lui après le divorce de nos parents, il aurait pu partir et vivre sa vie, mais il est resté pour moi. Il voulait être sûr que tout irait bien. Ty est le genre de type naturellement doué pour être père. Mon père ne l'est pas du tout, mais Ty le remplace. C'est bizarre, mais c'est comme ça.

— Et ta mère ? Elle est comment ?

— C'est une artiste, une accro à l'art primitif. Si elle n'est pas en train de peindre ou de voyager, elle a l'impression qu'elle rate sa vie. Les enfants n'ont jamais été sa priorité.

— La mienne est comme ça aussi.

— Alors tu sais comment c'est : un rien suffit à les lancer dans une nouvelle direction.

Little Brew planta ses pieds dans le sable et tendit les bras vers moi.

— Retiens-toi à moi ; tu ne vas pas battre des pieds éternellement.

Je me suis accrochée à son bras. Il souriait. Les vagues me ramenaient contre lui. Chaque fois que je touchais sa poitrine, j'avais l'impression que mon cœur affolé allait sortir de mes côtes. Je n'arrêtais pas de me dire que c'était impossible, mais non : le garçon le plus irrésistible que j'aie jamais rencontré me tenait dans ses bras, au beau milieu des vagues du Pacifique.

— Tu vois, c'est facile, a-t-il dit.

— C'est génial.

— Tu n'as pas froid ?

— Non, c'est parfait.

Pendant un instant, quand une vague plus forte que les autres m'a poussée vers lui, j'ai cru qu'il allait m'embrasser. Mes yeux ont plongé dans les siens, ma poitrine s'est collée à la sienne, et puis la vague nous a séparés.

— Il faudra faire très attention demain avec Tommy, j'ai dit pour rompre le silence.

— Pas de souci, a répondu Little Brew. Ou on fait ça en grand, ou on ne le fait pas !

Nous étions toujours ballottés par les vagues ; je sentais le sel sur mes lèvres et je me demandais ce que penseraient mes amies, là-bas dans le New Hampshire, en me voyant nager avec le garçon le plus mignon qu'elles aient jamais vu. Il a fini par lever le bras pour me laisser partir et il a plongé. Il est resté longtemps sous l'eau ; il a réapparu plus loin, s'est retourné sur le dos comme un lion de mer et s'est laissé flotter. Un vrai triton, aussi à l'aise dans l'eau que sur terre.

En sortant de l'eau, nous avons trouvé Ty et Tommy installés autour d'un feu. Ty avait creusé un trou dans le sable, et parcouru la plage à la recherche de petit-bois et de papier. Ty nous expliqua qu'il s'agissait d'un feu indien. Les Blancs construisent de grands feux et s'asseyent à distance. Les Indiens font de petits feux et s'installent tout près. Ce qu'il voulait dire, pensais-je en me séchant les cheveux, c'est qu'il n'utilisait que très peu de combustible. Les flammes étaient belles dans la lumière de fin d'après-midi. Tommy s'assit tout près en s'appuyant sur son sac à dos. C'était bon de le voir détendu, et inclus dans un groupe.

— On devrait appeler Frankie et Kobie et leur dire d'apporter du bois, dit Little Brew, et aussi des brochettes de tofu.

— Vous êtes végétariens ? a demandé Tommy.

— Tu vas te marrer, dit Little Brew, mais Ty pense que si le requin ne l'a pas dévoré, c'est parce qu'il est strictement *vegan*. Cela veut dire qu'il n'utilise aucun produit d'origine animale. Moi, je suis juste végétarien, à cause de lui.

— Je me demande bien pourquoi le requin t'a attaqué dans l'eau s'il a saisi tes vibrations *vegan* ? demanda Tommy à Ty.

— Yo, Poney des neiges, je ne m'attendais pas à être attaqué *par toi* !

J'ai voulu faire diversion.

— Est-ce que je pourrais vous emprunter votre téléphone une minute pour appeler ma mère ? Nous l'avons un peu laissée tomber ce matin.

— Pas de problème.

La voix de Tommy se fit entendre, haute et claire.

— Ne lui dis pas où nous sommes, Bee, elle viendrait tout gâcher.

— D'accord. Mais elle sait que tu voulais voir Ty.

— Elle ne sait pas où il habite. Et elle n'est pas détective : elle ne pourra jamais le trouver.

— Elle pourrait appeler la police.

— Elle n'appellera pas la police. Elle sera furieuse, c'est tout.

Ty sortit son téléphone de sa poche et me le tendit. Je m'éloignai d'une vingtaine de mètres avant de composer le numéro du portable de ma mère. Elle décrocha à la première sonnerie.

— Où est-ce que vous êtes passés, nom de Dieu ! cria-t-elle en détachant les syllabes comme si elle allait mordre dedans.

— On est sur la plage, au sud de San Francisco. Tout va bien, maman.

— Tu es privée de sortie pendant cent ans, Bee, continua maman d'un ton venimeux, et même pire encore ! Tu ne sais pas ce qui t'attend ! C'est un tel manque de respect de vous sauver comme ça. Personne ne m'a jamais fait un coup pareil !

— C'est toi qui as laissé Tommy, maman.

— Je suis sortie boire un verre ! Tu n'as aucune idée de ce que ça représente pour une femme de mon âge !

Sa voix avait monté de deux tons au moins. Je n'ai rien dit.

— Passe-moi Tommy !

— Il n'est pas à côté de moi en ce moment.

— Je m'en fous, de savoir où il est ! Passe-le-moi immédiatement !

— Il va bien. Il s'amuse.

— Bee, à quoi tu penses ? Tu ne penses à rien, c'est ça ? Ton frère est très malade, tu devrais le savoir ! Je veux lui parler.

— Nous serons rentrés demain après-midi, peut-être en fin d'après-midi.

— Nous devons prendre l'avion de nuit, jeune fille. Et j'ai vu que tu as pris l'argent, aussi.

— Nous avons pris une partie de l'argent, je t'ai prévenue dans mon petit mot. C'est l'argent de Tommy.

— Jamais de ma vie je n'ai été aussi furieuse, Bee, tu me rendras folle !

— Désolée, maman, nous n'avions pas l'intention de te faire de la peine.

Après ça, elle a complètement sauté les plombs et c'est en hurlant qu'elle a continué.

— Pas l'intention de me faire de la peine ! C'est le pire comportement passif agressif que j'aie vu de ma vie ! Tu n'en fais qu'à ta tête, tu me plantes là et tu m'abandonnes, et tu dis que tu n'avais pas l'intention de me faire de la peine ! Tu as le Q.I. émotionnel d'une chaise, Bee !

— Et toi, alors ? Et toi, tu... Oh, non, laisse tomber !

J'aurais voulu lui dire que c'était elle qui nous avait abandonnés, qu'elle n'était même pas rentrée dormir avec nous, mais il valait mieux éviter de verser de l'huile sur le feu. Elle avait tendance à s'énerver sur des sujets comme celui-là. Et puis, elle n'avait pas tout à fait tort. J'avais bien eu l'intention de lui faire comprendre un message, passif ou non, et je me souciais peu de savoir ce qu'elle allait en penser. Mais j'ai tenu ma langue. Le silence marchait mieux que toute une argumentation.

— Très bien, a-t-elle fini par dire, dis-moi où vous êtes et je viens vous chercher.

On sentait qu'elle faisait un effort pour se calmer.

— Non, maman. Je ne vais pas te le dire. Je suis désolée, crois-moi.

— Qu'est-ce que tu dis ?

— J'ai dit que nous allions passer la nuit ici et que nous serons de retour à l'hôtel demain en fin d'après-midi. Quoi qu'il arrive, nous serons là à temps pour partir. Nous t'appellerons quand nous serons en route.

— Je ne vais pas supporter ça, Bee. Je ne vais pas supporter d'être traitée comme tu me traites.

— Je vais raccrocher maintenant, maman. Je n'essaie pas d'être méchante, je t'assure.

— J'ai ton numéro de téléphone. Tu es chez ce surfeur, celui qui a rencontré un requin, Ty quelque chose ? Je vais le dénoncer à la police, je porterai plainte !

— Si c'est vraiment ce que tu veux faire, maman, je ne peux pas t'en empêcher. Mais tu briserais le cœur de Tommy.

— C'est moi qui dois veiller à sa sécurité, Bee. Je suis sa mère.

— Oui, maman, je sais ça.

Je l'ai entendue prendre une longue inspiration, et puis elle s'est mise à pleurer. Je la comprenais. Moi aussi j'aurais pleuré à sa place. J'aurais voulu lui dire quelque chose pour la consoler, mais je ne trouvais rien qui ne paraisse pas condescendant. Une seconde, j'ai eu envie de lui dire où nous étions, ce que nous avions prévu, et de lui permettre de nous rejoindre. Les garçons lui plaisaient, je le savais, mais elle n'accepterait jamais de mettre Tommy à l'eau dans des vagues géantes. Sans le vouloir, elle allait l'ébranler, lui parler des dangers qu'il allait courir, et petit à petit elle réussirait à saper sa résolution. Je ne pouvais pas risquer ça. Tommy méritait une journée vraiment réussie. Une seule. Et avec notre mère, cela n'arriverait jamais.

J'ai raccroché doucement. Quelques minutes plus tard, le téléphone a sonné de nouveau. Le numéro de maman s'est affiché. Sans répondre, j'ai réglé le portable en mode silencieux. Près du feu de camp, Tommy s'était mis debout pour mimer les gestes d'un gangster qui va dégainer ; les deux autres étaient morts de rire. Ils ne riaient pas pour faire plaisir à un enfant malade, mais parce qu'ils trouvaient Tommy drôle. Ils le voyaient comme moi je le voyais. Le téléphone vibrait dans ma main.

TOMMY INFO SUR LES REQUINS # 7 : La plus célèbre victime d'une attaque de requins est un homme appelé Rodney Fox. L'incident a eu lieu en Australie du Sud, à Adélaïde, pendant un concours de pêche sous-marine au harpon. Fox a été mordu à la poitrine et au bras. Il s'est défendu en enfonçant ses doigts dans les yeux du requin ; il a eu la main tailladée par la mâchoire ; ensuite, il a essayé de neutraliser le requin en l'attrapant par le museau. Comme il commençait à manquer d'air, il a voulu remonter à la surface, mais le requin s'est emparé d'un poisson mort que Fox portait attaché à sa ceinture ; il a entraîné Fox jusqu'au fond marin avant de le relâcher.

Les blessures de la victime étaient très graves. Le requin lui avait cassé les côtes, qui s'étaient enfoncées dans ses poumons, il lui avait brisé l'omoplate et touché la rate qui se trouvait à nu. Il a failli mourir vidé de son sang, et les médecins disent que sa combinaison de plongée l'a sauvé en maintenant ses organes en place. On a dû lui faire 462 points de suture.

Un morceau de dent est toujours resté incrusté dans son poignet.

La chose la plus intéressante chez Fox du point de vue de Tommy, c'est qu'il est devenu un ardent défenseur des grands requins blancs. Il aurait pu partir en guerre contre eux et vouloir en détruire le plus possible, mais au contraire, il a monté un club de plongée en eaux habitées par les requins ; il est aussi devenu consultant et expert sur le sujet. Il prône l'éducation des jeunes à la biologie marine et souhaite éveiller les consciences. Il craint de voir disparaître les grands prédateurs des mers. Tommy, qui l'admire beaucoup et partage ses idées, dit que Fox est plus résistant que n'importe qui au monde.

Fox est retourné à l'eau six mois à peine après l'attaque.

*

Vers deux heures du matin, nous avons fini par aller nous coucher. Tommy aurait dû être mort de fatigue avant, mais les garçons le gonflaient à bloc et le taquinaient sans le ménager ; il adorait ça. Ils ont même fait des blagues sur son gilet massant, et lui ont fait répéter des mots pour que sa voix, déformée par les vibrations, imite celle de *Terminator*. Ils lui ont fait

réciter *Mary avait un petit agneau,* puis il a
dit vingt fois « à bientôt » et il a fini par imiter Jack Nicholson dans *Shining.* J'ai failli leur
dire d'arrêter, mais l'un d'eux avait rapporté un
ballon publicitaire du centre commercial et ils
lui ont fait respirer l'hélium qu'il contenait. Ils
étaient tous pliés de rire. Quand Tommy a joué
la scène où De Niro s'adresse à son miroir dans
Taxi Driver « C'est à moi que tu parles ? », ils
se sont roulés par terre. Tommy était la star
de la soirée.

J'ai dû me forcer pour ne pas intervenir, pour
ne pas leur demander d'y aller plus doucement
avec lui. De nouveaux invités entraient et sor-
taient sans arrêt, des garçons et aussi quelques
filles. Ils auraient pu décider de faire du skate
ou d'aller à la plage, mais Little Brew et Ty
gardaient Tommy au centre du groupe. De
temps en temps, il piquait du nez, mais les
deux frères ne le laissaient pas s'endormir ; ils
lui lançaient des oreillers à la figure jusqu'à ce
qu'il se réveille.

À la fin, tout le monde est rentré se coucher,
et nous sommes restés tous les quatre sur les
vieux canapés défoncés du salon. Ty et Little
Brew racontaient les sensations qu'ils éprouvaient sur leur planche de surf, portés par une
vague de six mètres dont ils savaient qu'elle était
née très loin, dans les îles Aléoutiennes, à plus

de trois mille kilomètres, pour venir s'abattre de toute sa force sur la côte californienne. Il n'y avait rien au monde de comparable, d'après eux. Rien qui soit aussi fantastique. Ils partaient sur des planches longues et effilées appelées *guns*, et le moment où ils filaient sur l'épaule de la vague avec quinze mètres d'eau bleue à leurs pieds, le moment où ils commençaient la descente vertigineuse en laissant derrière eux un trait blanc, avec la lèvre d'écume qui s'incurvait au-dessus de leurs têtes, prête à se refermer sur eux, la poussée d'adrénaline de ce moment-là était inexprimable. Et quand la vague les rattrapait, comme elle manquait rarement de le faire, c'était encore une expérience presque mystique, parce qu'ils étaient tirés et roulés vers le fond avec leur planche attachée au mollet, touchant parfois le fond qui essayait de les retenir, roulés sur le sable et les rochers, ne sachant plus où était le haut et où le bas. Il fallait retenir sa respiration et laisser les vagues vous broyer. Impossible de se défendre ; il valait mieux se laisser aller et accepter son sort. Dans la plupart des cas, sauf malchance extraordinaire, le *leash* permettait de remonter à la surface : au milieu de l'essoreuse, la planche indique le haut. Depuis peu, les Jet-Skis surveillaient les surfeurs et au besoin les éloignaient de la zone d'impact. Il arrivait que le rescapé reste allongé sur sa planche en toussant et en crachant de l'eau à s'en arracher les côtes, mais il pouvait aussi bien repartir tout de suite. Et parfois, rarement, il se rendait compte que c'était assez pour la journée, qu'il était temps d'arrêter parce que l'océan était insatiable. Ces jours-là, il fallait rentrer à la maison.

Tommy avait écouté avec beaucoup d'attention. De sa voix un peu endormie, il avait raconté que, lorsqu'il n'arrivait pas à faire entrer de l'air dans ses poumons, il s'imaginait être capable de respirer par les yeux ou la peau comme font les grenouilles. Dans ces moments-là, il se sentait devenir amphibien. Après ça, plus personne n'avait rien dit. Nous étions restés assis tranquillement à écouter le vent qui mugissait dehors jusqu'à ce que Ty et Little Brew se lèvent pour aller dans leurs chambres. Ils ont tous les deux tapé dans la main de Poney des neiges avec les cinq doigts écartés, et dès qu'ils ont eu le dos tourné, nous avons sombré dans le sommeil côte à côte. Tommy, comme toujours, avait le souffle court.

LUNDI

Jour de Christophe Colomb

— Pssst ! Bee ? Tu es réveillée ?

Je me suis assise d'un bond. J'avais complètement oublié où j'étais ; je ne m'en suis souvenue qu'en apercevant Little Brew penché sur moi. Il portait un coupe-vent et des cache-oreilles énormes ; il avait un tas de couvertures dans les bras. L'élastique des cache-oreilles retenait ses cheveux en arrière.

— Tu veux voir des étoiles filantes ? a-t-il chuchoté.

— Où ?

— Dans le jardin. Il y a une vieille cabane dans un arbre.

— Mais quelle heure est-il ? j'ai demandé, pas bien réveillée.

— Trois heures et demie à peu près.

J'ai posé les pieds par terre. Little Brew m'a tendu un sweat-shirt et un coupe-vent. Le sweat sentait bon, comme lui. Il m'a pris par la main pour me guider dans le salon obscur, puis dans la cuisine vaguement éclairée par une petite veilleuse placée au-dessus de la cuisinière. J'ai enfilé le sweat imprimé des deux mots *Big Waves,* et je suis allée me passer de l'eau sur la figure dans la salle de bains. J'ai frotté mon index sur le savon pour me brosser les dents ; c'était infect, mais tout valait mieux qu'une haleine de chacal. Quand je suis sortie, Little Brew m'a aidée à passer le coupe-vent.

— C'est loin ?

— Non, c'est juste derrière la maison. Tu entendras Tommy s'il t'appelle.

— Je ne m'inquiète pas. Il a son inhalateur à côté de lui, il s'en est servi juste avant de s'endormir.

Je l'ai suivi dehors. Ses nu-pieds claquaient doucement à chaque pas contre ses talons. Nous avons enjambé la rampe de skate et poursuivi jusqu'à un bosquet de chênes-lièges. Little Brew a laissé ses sandales par terre et s'est mis à escalader une échelle métallique calée contre un arbre. Je l'ai suivi. À trois mètres du sol à peu près, j'ai aperçu une plate-forme, de la taille de deux tables de jardin vissées ensemble, qui reliait deux arbres. Little Brew m'a montré où poser les mains pour y arriver ; il ne m'a lâchée que lorsque j'ai été installée en sécurité. Il est allé fouiller dans une caisse rangée au bord.

— Je suis un fondu d'astronomie, a-t-il expliqué. J'adore observer les étoiles. Est-ce que ça te plaît, à toi aussi ?

— Je n'en ai jamais tellement eu l'occasion.

Il a sorti un télescope de la caisse et l'a installé avec précaution sur un tripode.

— C'est encore un peu tôt en saison pour voir les Perséides, mais c'est la nouvelle lune, alors je pense qu'on verra au moins Orion.

— C'est génial. C'est toi et ton frère qui avez construit cette plate-forme ?

— Oui, quand nous étions plus jeunes, avec notre père. Nous ne nous en servons plus tellement, c'est juste un endroit où aller en dehors de la maison, mais j'ai installé mon télescope là parce qu'on est mieux en hauteur pour voir du côté de la mer.

— Tu viens souvent ici ?

Il m'a tendu une couverture.

— Assez. Tiens, prends ça si tu as froid.

— Froid ? Mais je viens du New Hampshire !

Il a ri et a lancé la couverture par terre avant de se pencher sur sa lunette. L'œil fixé à l'objectif, il l'a réglé avec soin.

— Je suis membre d'un club d'astronomie amateur. Un ami de mon père qui vit dans la Sierra Madre est presque professionnel. Il a un grand télescope chez lui ; j'y vais une ou deux fois par an.

— Je trouve ça génial.

— Le surf du ciel, c'est comme ça que Ty appelle l'astronomie. Je n'ai pas besoin de beaucoup de sommeil, alors je peux profiter de mes nuits pour observer. Tu veux jeter un coup d'œil ? Je pense que c'est réglé maintenant.

Ma vue s'était accommodée à la nuit ; Little Brew m'a tendu la main pour me guider et je me suis penchée à mon tour vers l'œilleton. Il m'a fallu quelques secondes pour voir clairement l'orbe lumineux barré de trois traits plus foncés qui apparaissait dans l'objectif.

— C'est Jupiter et ses lunes, a dit Little Brew.

— Incroyable !

— Pas tellement avec un petit télescope comme celui-ci ; c'est une lunette Meade, mais c'est le modèle de base.

— Je trouve ça super, j'ai dit en m'arrachant un instant du spectacle pour le regarder. Merci de me montrer les étoiles.

— Je suis content. Je pensais que ça pouvait te plaire.

— Ça me donne envie d'en savoir plus sur l'astronomie.

— Le télescope Hubble envoie des images incroyables, qu'on peut voir sur Internet. Ce qui est dingue, c'est que si peu de gens s'y intéressent. C'est comme si on avait eu une chance de partir avec Vasco de Gama au temps des grands explorateurs et qu'on ait dit : « Non, merci, une autre fois » !

— Je plaide coupable.

— Mais non, pas toi ! dit-il très vite. Ce n'est pas ce que je voulais dire. Je parlais de ce qu'on voit dans les médias, les nouvelles des stars et la télé-réalité, toutes ces idioties, tu vois. On est en train d'explorer l'espace comme on n'avait jamais pu le faire, mais tout ce qu'on lit dans les journaux, tout ce qu'on voit à la télé, c'est que telle actrice divorce ou que telle autre s'est fait refaire le ventre.

— Oui, je comprends.

Il m'a regardé, il a souri. Et puis, il m'a embrassée. Juste comme ça. C'est arrivé si vite que je n'ai pas eu le temps de me poser des questions. Je n'ai même pas eu le temps de le prendre dans mes bras. Nos lèvres se sont touchées, et j'ai eu l'impression que j'allais m'envoler, ou tomber de l'arbre.

— J'espère que tu ne m'en veux pas, dit-il en s'écartant. J'avais envie de faire ça depuis que tu es arrivée.

— Je ne t'en veux pas.

Il m'a encore embrassée. Et je l'ai embrassé à mon tour. À travers la lunette, Jupiter lançait ses rayons blancs. C'était comme si la plus petite lumière du monde cherchait un endroit où se poser.

*

— Ta mère n'arrête pas de m'appeler, annonça Ty au petit déjeuner. Elle a essayé la moitié de la nuit, ce truc n'arrête plus de vibrer. C'est presque du harcèlement.

Il versa du jus d'orange dans un verre et me le tendit. La cuisine était impeccable, ce qui était d'autant plus méritoire que les deux garçons étaient seuls à s'en occuper. Little Brew était à l'étage ; Tommy dormait toujours. Un geai bleu criait dehors. Quelqu'un passa en voiture sur la route en écoutant du rap à fond.

— Je suis désolée. Ma mère essaie seulement de parler à Tommy.

— Je n'ai pas répondu, mais ça ne l'a pas découragée.

— Elle doit être blessée et furieuse, et elle joue les mères consciencieuses. Je l'appellerai tout à l'heure, quand on sera rentrés. Elle ne recommencera pas.

— Tu m'en vois soulagé.

Nous avons dévoré des bagels au beurre et à la confiture de fraises, avec du thé au lait bien sucré. Je dormais encore debout, et je ne voulais pas penser à Little Brew et à notre séance d'astronomie. Pas encore. Le soleil s'était levé ; Ty avait téléphoné pour vérifier que les conditions étaient bonnes. La séance de prises de vue était confirmée. Les vagues montaient jusqu'à près de six mètres. L'équipe caméra serait là à midi pour profiter de la meilleure lumière.

— Alors, Bee, parle-moi un peu de toi. Jusqu'à maintenant, on n'a parlé que de Tommy. Tu es une fille plutôt secrète.

— Je ne le fais pas exprès. C'est juste que ça se passe comme ça en général.

— Tu veux aller à l'université plus tard ?

— Dartmouth. C'est mon but dans la vie. Si je ne peux pas l'intégrer, j'irai dans une autre grande université de la côte est, mais je préférerais celle-là.

— Ça veut dire que tu es la meilleure élève de ta classe, ça, non ? demanda Ty en mordant dans son bagel. Ou de ton lycée ?

— À peu près. Je suis nettement obsessionnelle. Quand le prof donne un devoir, je le fais toujours plusieurs jours à l'avance. Je ne peux pas m'en empêcher.

— Et si tu vas à Dartmouth, tu resteras près de Tommy.

— Oui, ça aussi.

C'était vrai que je ne voulais pas m'éloigner de mon frère, mais notre voyage m'avait fait découvrir tout un monde de possibilités.

— Et qu'est-ce que tu aimes faire ? Dans ton temps libre, je veux dire.

— Je vois mes amis, et j'aime bien le cinéma, surtout les vieux films en noir et blanc des années trente et quarante. Le film noir est mon genre préféré, et je passe mon temps sur IMDB[1]. Je sais que c'est bizarre.

— Ce n'est pas bizarre du tout, c'est plutôt cool.

— J'adore le style des robes de cette époque, et des décors. Et tous les hommes portent des costumes. On dirait vraiment un monde de fiction, mais c'est encore mieux parce que ça a vraiment existé. C'est mon secret honteux, tu vois.

— Et quels métiers t'attirent ?

— J'avais pensé devenir vétérinaire, mais en fait, je préférerais vraiment faire médecine. J'aime les sciences.

---

1. International Movie DataBase, base de données sur le cinéma. *(N.d.T.)*

— Moi aussi j'aime les sciences. Je suis entré en biologie marine à UCLA[1] mais j'ai assez vite opté pour le cinéma. C'est pas très original d'aller étudier le cinéma là-bas, mais c'est ce que j'ai fait.

— Alors le tournage d'aujourd'hui, c'est professionnel ? C'est toi qui le diriges ?

— Oui. J'ai monté une société qui s'appelle Break Dog. On fait des films courts sur les sports extrêmes : le surf, le skate, le ski, le motocross et la voltige à cheval, ce genre-là, tu vois. On les vend sur abonnement à des lieux qui cherchent une clientèle jeune ; les films sont passés en boucle jusqu'à ce qu'ils lassent ou qu'on change de saison, et alors on leur en envoie un autre. À terme, j'aimerais bien faire de vrais longs métrages, mais pour l'instant, les courts paient le loyer.

— J'aime bien le concept.

— Ça ne me permettra pas de devenir riche, mais ça me donne des clips à projeter aux gens. C'est une façon de me constituer un dossier, de montrer de ce que je sais faire. Et j'aime bien le travail de montage. Je finirai peut-être réalisateur, qui sait ?

— Je crois que tout est possible et qu'il ne faut surtout pas renoncer à poursuivre ses rêves.

1. University of California, Los Angeles. *(N.d.T.)*

Il s'est penché vers moi et a baissé la voix.

— Tu crois que c'est Tommy qui t'a donné envie de devenir médecin ?

— Sans doute. Mais j'ai encore le temps de changer d'avis, de faire quelque chose de complètement inattendu.

— Tu seras médecin, ou autre chose, mais quoi que tu fasses, tu le feras à la perfection.

J'aimais beaucoup Ty ; il était terriblement séduisant lui aussi, mais il me faisait penser à un grand frère, le genre qui ramène un millier de copains plus beaux les uns que les autres. Mes amies Jill, Maggie et Marcie seraient folles des garçons californiens. Ils ne ressemblaient pas à ceux que nous connaissions dans le New Hampshire. Ils étaient plus détendus et n'éprouvaient pas le besoin d'éblouir la galerie. Et ils avaient des corps d'athlètes, sans doute parce qu'ils passaient leur vie dehors sur des planches de surf ou de skate.

— Tu n'as pas peur de laisser Tommy sortir avec nous ce matin, dis-moi ? Tu ne crains pas que ce soit trop dur pour lui ?

— S'il coule, il ne pourra pas reprendre son souffle.

— Je sais. Je le prendrai sur mon dos, on fera une vague facile et le Jet-Ski sera prêt à le ramener.

— Pour être honnête, ça me fait peur. Mais c'est la chose la plus formidable qui lui soit jamais arrivée.

Il a hoché la tête.

— Jamais je ne lui ferai courir de risque inutile, tu sais... J'adore ce môme.

— Je sais, j'ai répondu en baissant la voix, pour le cas où Tommy se soit réveillé, à côté. Te rencontrer est une étape dans sa vie, tu ne sais même pas à quel point.

Il a continué à voix basse lui aussi.

— Il n'a pas aimé cette balade en bateau, n'est-ce pas ? Il n'a pas dit grand-chose quand je lui ai demandé comment ça s'était passé, mais j'ai bien vu. Quand il m'a écrit qu'il allait plonger au milieu des requins, j'ai eu peur que ce soit décevant, une attraction pour les touristes. Il n'y a rien de mal à plonger comme ça, mais ce n'était pas vraiment pour lui.

— Ce qu'il lui fallait, c'était exactement ce qu'il a trouvé ici. Il avait besoin de vous, de ce que vous êtes.

— J'aime bien être avec lui. Il ne se plaint jamais.

— Jamais.

J'avais la gorge serrée. Ty avait fini son *bagel*. Il s'est levé et a commencé à ranger la vaisselle dans la machine. Little Brew est entré dans la cuisine. Ty nous a jeté un coup d'œil à tous les deux, il a hoché la tête comme pour approuver quelque chose, et il s'est rassis pour finir son thé. En passant derrière moi pour aller vers la cuisinière, Little Brew a laissé sa main glisser légèrement sur mes épaules.

Une fois réveillé, Tommy a passé une heure dans son gilet massant, et cette fois les garçons l'ont laissé tranquille. Ils comprenaient qu'il avait besoin d'être aussi en forme que possible pour leur sortie. Tommy est donc resté assis devant la télévision pendant que Ty passait des coups de téléphone, organisait les divers éléments du tournage et confirmait le rendez-vous des participants. Little Brew m'a pris par le bras et m'a entraînée dehors pour installer les planches de surf sur la galerie du camion. Je maintenais l'arrière pendant qu'il les faisait glisser à l'avant.

— C'était sympa, la nuit dernière, a-t-il déclaré. Ça ne te dérange pas que Tommy sache que tu me plais ?

— Non, pas du tout, et je suis sûre qu'il a déjà compris.

— C'est vrai que tu me plais, Bee. J'aimerais bien que tu vives plus près.

— Moi aussi.

Il grimpa sur le pare-chocs pour attacher les planches avec des sangles, puis il alla en prendre une autre à l'arrière, plus longue et plus lourde.

— La plupart des filles que je connais ne pensent qu'à des trucs idiots comme les fringues et le shopping. Tu n'es pas comme ça.

— En fait, il faut que je t'avoue, nous n'avons pas beaucoup d'endroits où faire du shopping dans mon coin du New Hampshire.

— C'est exactement ce que je veux dire. Tu es la première fille de l'Est que je rencontre.

Il avait hissé la grande planche sur le toit ; il me demanda de la pousser pendant qu'il la guidait avant de l'attacher. Nous avions maintenant quatre planches sur le toit et du matériel en tas à l'arrière, des combinaisons, des appareils photo, des gilets de sauvetage et d'autres choses encore. Il restait un surf à glisser au-dessus du reste, et enfin, Little Brew déclara que tout était en place. Ty vint nous rejoindre.

— Il est temps d'y aller. Tommy dit qu'il est prêt.

— Alors on peut partir.

— Tu devrais prendre toutes vos affaires, pour que je puisse vous déposer à San Francisco ensuite, à l'hôtel ou à l'aéroport, comme tu voudras, proposa Ty.

— Combien de temps durera le tournage ?

— Peut-être deux heures. Cela dépendra de la lumière et des vagues. Nous filmons surtout en caméra à l'épaule, pour pouvoir travailler quelles que soient les conditions. Tu verras.

— Je vais chercher Tommy.

Je suis entrée dans la maison en laissant Ty et Little Brew vérifier le chargement. Tommy attendait dans le salon ; ses joues n'avaient pas une bonne couleur. C'était peut-être à cause du reflet de l'écran de télévision, mais il avait le teint jaune, le visage creusé, et il a mis quelques secondes à trouver sa voix quand j'ai délacé son gilet. J'ai repoussé ses cheveux et posé une main sur son front en examinant ses yeux. Il était chaud. Il a essayé de rejeter la tête de côté pour éviter ma main, et il a voulu se lever, mais les coussins du canapé étaient profonds et il est retombé.

— Comment tu te sens ? Tu as le front chaud.

— Tout va bien, Bee's Knees, tout va bien.

Je l'ai aidé à se mettre sur ses pieds. Il s'y est pris à plusieurs fois pour éteindre la télévision en appuyant sur la télécommande.

— Je viens surfer avec vous. Rien ne va m'en empêcher.

— Personne ne veut t'en empêcher ; il faut juste faire attention.

Il a haussé les épaules, mais un peu plus tard, il a acquiescé de la tête, lentement.

— C'est d'accord. Je sais que tu te fais du souci pour moi.

— Il faut que tu me promettes d'être honnête et de me dire si tu sens que c'est trop, d'accord ? Personne ne va te juger. Tout le monde t'apprécie tel que tu es.

Il a hoché la tête encore une fois. Je lui ai raconté que Ty avait proposé de nous conduire à l'aéroport de San Francisco. Il m'a aidé à rassembler nos affaires et à tout mettre dans nos sacs. Il n'y avait pas grand-chose. Nous sommes sortis retrouver Ty et Little Brew qui nous attendaient.

— Des séries de six mètres ! a crié Little Brew ne nous voyant. On va surfer, Poney des neiges !

Tommy a pris une pose de surfeur et tout le monde a ri.

Ty fermait la porte arrière de la camionnette.

— Vous êtes prêts ?

— Prêts, j'ai dit.

J'ai aidé Tommy à monter. En le regardant s'installer à l'avant – lever une jambe, faire pivoter le poids du corps, se lancer, rater son coup, recommencer et finalement s'affaler maladroitement sur le siège – j'ai eu un doute. Le projet entier m'a semblé complètement fou. Je l'ai imaginé dans les vagues, ou pire, sous l'eau, essoré par un tourbillon géant d'eau de mer et de sable, ballotté comme un fétu de paille. Il était si frêle ! Je me suis demandé si je n'étais pas complètement irresponsable. Évidemment que Tommy voulait surfer. Évidemment, il trouvait ça magique et totalement cool, et seulement un peu dangereux. Mais j'étais censée garder un œil sur lui.

— On y va ! cria Little Brew.

Il sauta dans la camionnette et étendit le bras pour donner une petite tape amicale sur la tête de Tommy. Il avait déjà le visage couvert de crème solaire. Tommy se retourna pour lui rendre la tape, lentement, trop lentement. Il me faisait penser à une grenouille essayant de chasser un papillon.

Nous sommes arrivés très vite.

— Le temps est idéal, dit Ty en garant la camionnette.

J'ai aidé Tommy à descendre de son siège pendant que Ty et Little Brew déchargeaient le matériel qu'ils empilaient dans une petite remorque.

L'eau d'un bleu gris profond scintillait à perte de vue. La plage de Half Moon Bay s'étendait devant nous, avec son sable pâle et frais. Quelques vacanciers s'étaient installés plus loin sous leurs parasols ; en fonction de la direction changeante du vent, on entendait leurs cris et leurs rires par bouffées. Quelqu'un frappa une balle de baseball avec une batte d'aluminium, et le bruit sec de l'impact résonna comme un coup de feu au milieu du fracas des vagues qui venaient s'abattre sur le sable.

Près du parking, un écriteau signalait :

ATTENTION
Mavericks Break n'est accessible
qu'aux surfeurs expérimentés.
L'ACCÈS EN SURF OU JET-SKI EST INTERDIT
aux débutants sur ce site.
Le risque de noyade est réel.
En cas d'urgence, appelez le 911.

Tommy s'est approché de l'écriteau.

— Mark Foo s'est noyé ici. C'était un surfeur exceptionnel, un Hawaïen. Il était connu dans le monde entier. On pense qu'il a dû rester coincé, mais personne ne sait exactement ce qui s'est passé. Il a pu être assommé par sa planche.

— Ne va pas tenter le mauvais sort, toi, intervint Little Brew, viens plutôt par ici nous aider. Et allez mettre vos combis tous les deux.

— Où sont les Jet-Skis ? j'ai demandé.

— Ils seront là dans une minute, répondit Ty. Ils arrivent par le nord. Nous en avons deux, dont un pour Little Brew et toi.

— Et les caméras ?

— Avec les Jet-Skis.

Décharger la camionnette prenait du temps. Comme il était impossible d'approcher de la plage en voiture, Little Brew transportait le matériel jusqu'au bord de l'eau dans la petite remorque. Pendant ce temps, Ty détachait les planches du toit. Tommy et moi nous nous glissions dans nos combinaisons. Plus loin vers le nord on apercevait une falaise qui fermait la baie. Quand Little Brew revint vers nous avec la remorque vide, Ty était prêt. J'ai dû forcer Tommy pour lui mettre de la crème solaire sur le nez ; il m'en a voulu à mort.

— Tu es impatient ? lui demanda Ty. Prêt pour des vagues de dingue ?

— Prêt, dit Tommy. Super-prêt.

— J'ai vu Ollie et Honey, dit Little Brew ; ils sont déjà sur les Jet-Skis.

— Et Florence ?

— Elle ne vient pas. Honey dit qu'elle s'est foulé la cheville.

Little Brew me jeta un regard de côté.

— Florence est une surfeuse exceptionnelle. Elle plaît bien à Ty...

Il y eut un silence, suivi d'un moment étrange : tout le monde avait les yeux sur Tommy. Nous nous apercevions tous en même temps que notre projet était peut-être complètement au-dessus de ses capacités. C'était une chose de parler des vagues géantes de Mavericks, installés dans le salon, c'en était une autre d'envisager de le mettre à l'eau. À cent mètres de nous, les vagues s'écrasaient sur le sable avec fracas ; il devenait difficile de croire que tout ça avait un sens. J'ai jeté un coup d'œil à Ty. Little Brew me regardait en souriant bizarrement. Mais Tommy ne s'était aperçu de rien. Il avait commencé à marcher vers le bord, lentement, maladroitement. Son dos fragile n'apparaissait pas plus large qu'un gant de baseball.

TOMMY INFO SUR LES REQUINS # 8 : Au printemps de 1961, trois surfeurs nommés Alex Matienzo, Jim Thompson et Dick Knottmeyer décidèrent d'aller essayer les vagues qui se formaient à distance de la côte californienne, au niveau de Pillar Point. Ils avaient avec eux le berger allemand de Matienzo, qui nageait à leurs côtés. Comme les conditions étaient décidément trop dures pour le chien, ils furent obligés de l'attacher au pare-chocs de leur voiture. Ce chien s'appelait Maverick. Il a donné son nom à la vague géante qui se brise sur un récif à près de deux kilomètres de la côte. À part eux, personne n'allait jamais surfer Mavericks avant qu'apparaisse Jeff Clark. Il habitait dans le coin ; il a surfé sur le spot seul pendant quinze ans. Il n'a fait aucun effort particulier pour garder le secret, mais personne ne pouvait imaginer que des vagues aussi puissantes se formaient si loin de la côte.

Un jour, un pêcheur ramena trois grands requins blancs en un seul jour au large de Pillar Point. Un article de Ben Marcus paru dans le *Surfer's Journal* décrivait Mavericks comme un lieu de désolation « isolé, mauvais par nature. Le récif est entouré d'eaux profondes ; il est ouvert à tous les vents, toutes les tempêtes et tous les courants : la houle venue des îles Aléoutiennes, les bourrasques par nord-ouest, les orages par sud-est, les courants glacés, les éléphants de mer et les bêtes les plus terrifiantes, qui dévorent les éléphants de mer... Mavericks respire le danger ».

*

J'ai eu un drôle de sentiment en transportant notre matériel jusqu'à la mer. J'avais la tête qui tournait et l'impression de ne plus habiter mon corps. Je me voyais soulever des sacs et poser une planche sur le sable, mais je ne ressentais rien. C'est difficile à expliquer. J'avais aussi une impression de déjà-vu, comme si j'étais déjà venue à Mavericks, comme si je m'étais déjà assise sur le promontoire pour regarder les vagues déferler sur la plage. Même le cri des mouettes me paraissait troublé et mélancolique, comme si je les percevais à travers un voile. Il me semblait que je comprenais presque ce qu'elles me disaient, mais que le sens de leurs cris m'échappait juste à l'instant où j'allais le saisir. Le soleil qui chauffait le sable à mes pieds rendait mes impressions encore plus confuses. J'aurais dû tout simplement me détendre, mais j'avais plutôt le sentiment qu'un téléphone sonnait quelque part, qu'il était très important que j'aille répondre, et que je ne savais pas où se trouvait l'appareil. Autour de moi, tout allait trop lentement, ou bien apparaissait par magie avant de disparaître. J'étais en train de me demander si je ne souffrais pas tout simplement d'hypoglycémie quand enfin tout devint clair, en un instant.

Tommy m'a demandé si tout allait bien : il avait remarqué mes yeux vitreux. Je l'ai rassuré, mais je me sentais mal à l'aise. Et puis j'ai posé une main sur l'épaule de Little Brew. J'ai senti sa peau douce et tiède sous ma paume. Il s'est tourné vers moi et m'a souri, et le monde a retrouvé son équilibre. Le soleil s'est remis à briller joyeusement, la plage a retrouvé sa lumière et l'océan son chant. J'étais en Californie, j'avais chaud et sans doute soif, et la journée s'annonçait paisible.

Little Brew a posé une main sur la mienne pour m'attirer près de lui, et il m'a embrassée.

*

De l'eau partout. Des montagnes d'eau en mouvement. Assise derrière Little Brew sur le Jet-Ski, je regardais la houle gonfler vers le *break* de Mavericks. Je n'avais jamais rien vu ni ressenti de pareil. Quand on se trouve à bord d'un bateau, la mer est comme une route ; c'est une surface. Sur le Jet-Ski, en revanche, l'océan vivait directement sous nos pieds, non plus abstrait, mais très présent au contraire, présent partout autour de nous, au-dessus et en dessous, mêlé au ciel, aveuglant à cause des reflets cuisants du soleil et plein de colère. De la rive, très loin, nous parvenaient parfois des bouffées d'odeurs terrestres. Les cinq surfeurs étaient allongés sur leurs planches ; ils guettaient les vagues, tendus et prêts à réagir.

Tout compte fait, elles ne montaient pas à six mètres ce jour-là, peut-être deux seulement, mais elles roulaient vers nous avec une urgence et une violence qui nous donnaient l'impression de n'être plus que des fétus de paille. Ollie, qui avait l'âge de Ty mais était plus compact et plus brun, pilotait le deuxième Jet-Ski tout en filmant, la caméra à l'épaule. Tommy était

installé derrière lui. Ty et Ollie avaient prévu
la scène et ils savait ce qu'ils voulaient.

— On est prêts ? cria Ty.

Ollie hocha la tête en levant le pouce. Il
était une heure, peut-être une heure et demie.
J'ai penché la tête sur le côté pour apercevoir
Tommy. Il avait passé un gilet de sauvetage
orange vif par-dessus sa combi. Le gilet avait
l'air trop grand pour lui, ou bien c'était lui qui
semblait encore plus petit que d'habitude au
milieu de l'immensité de l'océan. Depuis qu'il
avait enfourché le Jet, son expression n'avait
pas bougé. Il souriait d'une oreille à l'autre.
Il souriait à tout. Je ne l'avais jamais vu aussi
heureux.

J'ai croisé son regard et levé un sourcil pour
lui demander si tout allait bien. Il a détourné
les yeux sans répondre.

Soudain, Little Brew a mis les gaz, et nous
avons filé vers le bord pour longer les vagues
en suivant une ligne parallèle. J'ai resserré mes
bras autour de sa taille. L'un des surfeurs, un
jeune homme nommé Willy, avait ramé jusqu'à
la naissance d'une vague et s'apprêtait à la
prendre. Les autres regardaient.

C'était magnifique.

Willy était resté un moment à étudier la
houle avec les autres, et à un moment qui
n'avait de sens que pour lui, il s'était allongé

sur sa planche en ramant de toutes ses forces. Je voyais la vague, je la regardais monter comme un ballon qu'on gonfle ; la pression venue d'en bas exerçant une force qui la creusait à sa base et alourdissait le sommet. Une fine ligne blanche apparaissait en haut. L'épaule de la vague poussait vers l'avant, et pendant un instant, j'ai cru qu'elle n'allait jamais se briser. Mais elle devait se briser, et Willy le sentait ; il sentait la vitesse qui entraînait sa planche. Il ramait toujours jusqu'à un point d'équilibre où la vague elle-même, plus que lui peut-être, allait décider de le porter ou de le laisser revenir en arrière. Je me demandais ce qui lui passait par la tête à cet instant où l'eau le propulsait à une vitesse folle, et où il s'agrippait, prêt à se mettre debout. La vague poussait vers le ciel, étincelante et gigantesque, et Willy émergeait à la crête comme un bouchon de champagne.

D'un seul mouvement, il se mit sur ses pieds. Ses jambes glissèrent vers ses bras comme une pince qui se referme, et il se trouva debout sur la planche qui filait toujours. Il poussa sur son pied avant pour l'incliner vers le bas. La vague avait continué à enfler. Un mur d'eau s'elevait comme un arbre.

Little Brew siffla quand Willy se mit à descendre le *curl* de biais. Il venait vers nous ; un instant, il passa sous la lèvre qui se refermait sur lui. Il était dans le tube, genoux fléchis, main arrière en contact avec la vague pour conserver son équilibre, pendant que le soleil colorait l'eau au-dessus de sa tête. J'ai entrevu son visage, rempli d'une sérénité magnifique. Il dominait la vague ; elle ne représentait plus un danger, mais seulement une démonstration de la mécanique des fluides qu'il maîtrisait avec grâce. La planche fendait l'eau de plus en plus vite ; d'un coup de talons, Willy vira deux fois en un *cutback* impeccable et passa par-dessus la lèvre. Arrivé en haut, il s'envola. Comme si la vague était un tremplin, il fut projeté à trois mètres dans l'espace, tourna, et disparut. Little Brew fonça pour le repêcher avant que la vague suivante commence à déferler à son tour.

— La suivante, c'est pour toi ! cria Little Brew.

Il m'a fallu un moment pour comprendre que c'était à moi qu'il parlait.

— Non, non ! Je ne peux pas ! Pas question !

Little Brew ne m'écoutait pas.

Willy n'avait pas eu besoin de nous. Il avait ramé tout seul hors de la zone d'impact. C'était au tour de Honey de prendre la vague suivante. Il n'allait pas réussir la même performance, je m'en rendais compte. Il se penchait un peu trop en avant, et le nez de sa planche s'enfonçait dangereusement. Très vite, la vague l'a rattrapé et nous l'avons perdu de vue au milieu d'un nuage d'écume. Little Brew naviguait les remous immaculés en expert, penché en avant pour repérer la combinaison noire du garçon. Il fallait aller vite, mais pas trop, pour ne pas risquer de passer par-dessus la tête de quelqu'un. Little Brew avait l'œil vif, et quand Honey refit surface, un peu désorienté, nous n'étions qu'à trois mètres de lui.

— Ça va ?

Honey fit signe que oui et remonta sur sa planche. Une nouvelle vague gonflait sous nos pieds et nous poussait vers l'avant dans un déluge d'écume.

Et dessous, les requins. Au fond de la mer, les grands blancs attendaient en embuscade, prêts à foncer sur tout ce qui avait plus ou moins la forme d'un phoque, même si ce n'était qu'un surf.

TOMMY INFO SUR LES REQUINS # 9 : Personne ne sait exactement combien de temps vit un grand blanc. Certains biologistes pensent qu'il vit trente ans, d'autres prétendent qu'il peut vivre soixante-dix ans. Comme leur longévité, leur vie reproductive reste un mystère. Quand on les observe près des îles Farallon, par exemple, on voit souvent des femelles porteuses de marques de dents près de la tête. Personne ne sait avec certitude si les morsures font partie des rites d'accouplement, parce qu'il y a peu de témoins d'un d'accouplement entre grands requins blancs. Depuis que les chercheurs marquent les requins, on sait que les grands blancs des îles Farallon passent l'hiver au Mexique, dans l'une des zones les plus profondes du Pacifique ; il est possible que l'accouplement ait lieu dans les eaux bleues des Tropiques. Le trajet aller et retour entre les deux est d'à peu près trois mille deux cents kilomètres. Plusieurs aspects de cette migration impressionnent les scientifiques ; l'un d'eux est que les provisions faites avant d'affronter de telles distances sont fournies uniquement par la saison de la chasse aux phoques en fin d'automne. Les requins sont des navigateurs rapides et puissants, mais il est étrange de constater que des animaux qui se nourrissent près des côtes soient capables d'entreprendre de telles traversées en pleine mer pour se cacher dans les grands fonds. Il semble qu'ils ne mangent pas grand chose avant de rejoindre les Farallon. Quand ils reviennent, ils paraissent minces et affamés. Les attaques de phoques se succèdent, jusqu'à ce que l'estomac des prédateurs soit rempli et que leur faim s'apaise. *Prédateurs.* C'est l'un des mots compliqué que Tommy aime bien répéter.

*

— À toi, maintenant ! a crié Little Brew. Vas-y, plonge !

— Je ne le sens pas... Ce n'était pas prévu, et je ne crois pas que j'y arriverai.

— Mais si, tu peux y arriver, ne t'en fais pas. Il va juste partir en bodyboard, tu n'as qu'à te laisser porter. Je te suis.

C'était une idée dingue de se jeter à l'eau au beau milieu du Pacifique... La pire idée du monde, à peu près.

— Bee, tu nous fais perdre du temps, cria Tommy. On a un programme à suivre !

On entendait à peine sa voix frêle dans le grondement des vagues.

J'ai sauté. Maladroitement, mais je l'ai fait, en pensant que sous mes pieds, il y avait trois cents mètres d'eau en mouvement. C'était gênant d'avoir à me plaquer sur le dos d'un garçon, mais le pire, c'est que pendant ces quelques instants, j'étais dans la peau d'un phoque avec ma combinaison noire. Toutes les données abstraites que Tommy m'avaient répétées depuis des années prenaient soudain du sens. Il pouvait très bien y avoir un requin quelque part dans les profondeurs, en train d'épier nos mouvements au milieu des vagues scintillantes. Gibier ou pas gibier ? Nous avions tout d'une

colonie de lions de mer avec nos combinaisons. Avions-nous la forme requise pour être
des mammifères marins comestibles, ou seulement des déchets comme ceux que la mer char-
rie tous les jours ?

J'ai atteint la planche de Ty en deux brasses.

— O.K., a-t-il dit, glisse-toi sur moi.

— Je vais te renverser !

— La planche est stable. Vas-y. Essaie.

Je ne tenais pas à garder les jambes dans
l'eau plus longtemps que nécessaire. Je me suis
penchée à la perpendiculaire vers lui, il m'a
tendu la main pour m'aider à me hisser. Little
Brew est passé derrière moi pour me pousser,
et je me suis allongée en me calant contre le
dos de Ty.

Il s'est mis à ramer pendant que Little Brew
s'éloignait dans un jet d'eau sifflante.

J'ai tourné la tête pour regarder Tommy.
J'avais du mal à croire que j'étais là, allongée sur un surf, serrée contre Ty. Assis derrière Ollie sur le Jet-Ski, Tommy m'a fait un
signe de tête. Pour une fois, c'était lui qui m'en-
courageait, et toutes mes craintes se sont éva-
nouies d'un coup. Il continuait à sourire et à
faire des signes. J'ai pensé alors que sa maladie
m'avait peut-être volé quelque chose, une certaine insouciance, et qu'elle m'avait appris la
peur. Il était temps de réagir et de vivre pour

moi, de courir quelques risques. Je le regardais, mon petit frère aux os fragiles et aux poumons malades, qui avait eu le courage tranquille de nous faire traverser le continent pour nous emmener jusqu'ici, sur les plus grosses vagues du Pacifique. Ma mère avait raison, finalement. Tommy étudiait les requins parce qu'il n'avait jamais pu nager sans se demander ce qui le menaçait depuis les profondeurs, ni vivre sans savoir quand la mucoviscidose allait lui porter le coup fatal. Je ne pouvais même pas imaginer la force d'âme qu'il lui avait fallu pour vivre comme ça tous les jours, en se battant à chaque seconde pour respirer. J'ai dit à Ty que j'étais prête, et au même moment j'ai senti l'eau nous soulever vers le ciel, un peu comme un joueur de tennis lève la balle avant de la lancer, juste pour voir jusqu'où il peut aller. Le dos de Ty s'est raidi, il s'est mis à ramer très vite. Ty Barry, l'homme qui avait survécu à une attaque de grand requin blanc, qui avait été projeté à plusieurs mètres et qui avait vu un monstre nager sous sa planche avant de s'éloigner sans le toucher. Personne ne me protégerait mieux que Ty. Le sort ne s'acharnerait pas sur lui deux fois. Il s'est mis à crier.

— On y est !

J'ai poussé un grand cri de joie moi aussi. La vague montait, montait vers le ciel. Ty a hoché la tête, je me suis serrée contre lui, et j'ai senti l'univers basculer.

Nous avons filé sur la lèvre et amorcé une descente en biaisant vers la droite. La vague nous emportait sans se soucier de nous ; ce n'était plus qu'une question de lois physiques qui nous faisaient glisser. Une seconde, le rouleau a commencé à se refermer sur nous, j'ai cru qu'il allait nous écraser, mais nous l'avons doublé et nous sommes repartis vers l'avant, en nous laissant porter par l'énergie de l'eau pour la dépasser. La planche rouge vif filait comme une langue qu'on tire ; j'ai cru que la vague ne pouvait plus nous rattraper, mais elle l'a fait finalement. Je l'ai sentie écumer sur mes jambes, une poussée plus forte nous a projetés vers l'avant ; Ty a manœuvré pour sortir. Son épaule gauche a pénétré la vague, nous avons commencé à remonter. J'ai entrevu du ciel bleu, un nuage, et enfin la vague s'est effondrée sur nous. Ty n'était plus là. La planche elle-même avait disparu après m'avoir cogné le tibia ; j'ai coulé. Tranquillement, j'ai fait une espèce de saut périlleux pendant que la violence du tourbillon se calmait. La mer m'a abandonnée sans me faire de mal pour me laisser remonter. En quelques brasses, j'ai crevé la surface. J'ai levé le poing en hurlant de bonheur ; En deux secondes Little Brew était là pour me remonter sur le Jet-Ski. Il m'a embrassée, je l'ai embrassé, Tommy hurlait « Wooooohhhh ! ». J'ai regardé derrière nous : Ty était sur sa planche, il ramait à notre suite au milieu des vagues.

Tommy a sauté du Jet et s'est retrouvé à l'eau dans son gilet qui le maintenait à la surface comme une bouée au milieu de la houle. L'océan était bien trop vaste pour un si petit garçon, nous l'avons tous senti. Mon cœur s'est arrêté de battre quand je l'ai vu se faire des efforts pour rejoindre la planche de Ty, à quelques mètres de distance.

— Allez, Poney des neiges ! a crié Little Brew pour l'encourager. Il s'est approché aussi près qu'il pouvait. Je me serrais contre lui. Ollie filmait la scène.

Tous les autres, Willy et Honey et des surfeurs dont je ne savais pas le nom, ont fait un cercle autour de la planche de Ty. Ils savaient qui était Tommy et ils étaient prêts à donner un coup de main, mais Tommy les a ignorés. Je l'ai vu serrer les dents en essayant de grimper sur le surf, mais ses bras étaient trop faibles pour le porter et l'épaisseur du gilet de sauvetage le gênait. Little Brew s'est penché pour le soulever, Honey s'est mis tout contre lui pour qu'il s'appuie sur sa planche, et enfin Tommy a réussi à s'accrocher aux épaules de Ty. Little

Brew a poussé un cri de victoire, mais nous avons bien entendu qu'il était un peu forcé.

J'avais envie de leur dire d'arrêter. Tommy n'était pas fait pour ça. Je savais que ce n'était pas une bonne idée de le laisser essayer des vagues comme celles-là. Il me semblait que tout le monde avait le même sentiment, mais nous ne savions plus comment stopper l'engrenage que nous avions mis en place. Le soleil donnait à l'eau un éclat métallique. Les vagues gonflaient toujours sous nos pieds pour aller se briser un peu plus loin.

C'est alors que Tommy nous a pris par surprise.

Il a fait un effort incroyable pour ramener ses genoux contre son torse, puis, pouce à pouce, il a soulevé le buste jusqu'à se trouver à genoux sur le dos de Ty. Ses mains ont quitté les bords de la planche ; lentement, tremblant à cause de l'effort, il les a levées. Il s'est tenu droit, comme les autres, et pendant un instant il a surfé presque debout, juste pour se prouver à lui-même qu'il en était capable. Les autres le regardaient sans bouger ; j'ai senti les larmes me monter aux yeux en le voyant s'allonger un moment pour se relever encore. C'était un garçon comme les autres sur une planche de surf, et plus le petit malade qu'il fallait traiter avec des soins spéciaux. Little Brew poussa un cri de victoire, qui cette fois sonnait juste, et les autres joignirent leur voix à la sienne en l'acclamant à pleins poumons, *Poney des neiges*, *Surf Tommy*, *Beau gosse*, et applaudissant. Moi aussi je l'ai ovationné jusqu'à en avoir mal à la gorge, parce que c'était vrai, Tommy était un surfeur et son cœur le savait même si son corps ne suivait pas. Il s'est allongé contre Ty et a fait signe qu'il était prêt.

Little Brew nous a conduits à l'endroit stratégique d'où nous allions le mieux les voir ; Ollie filait à côté de nous, sa caméra au poing. Ty a ramé pour prendre une vague et se laisser porter. Quand ils se sont élevés tous les deux au-dessus de nous, j'ai vu les petits bras de Tommy qui ramaient aussi. Même si c'était inutile, il voulait aider. Puis, Ty a cessé de ramer, la planche a commencé à descendre pendant que la lèvre se recourbait au-dessus de leurs têtes. J'ai entrevu l'expression extatique de Tommy ; la joie pure qui éclatait sur son visage ne s'est pas altérée quand la planche a commencé à plonger. Pendant un long moment, ils ont distancé la vague qui cassait sur eux, et j'ai cru qu'ils allaient sortir, mais ils étaient allés trop profond. Ils ont été balayés. Ty a glissé à l'eau, Tommy toujours sur son dos. La planche vide a bondi en l'air. Quand la vague a déferlé, j'ai entendu des mouettes crier très fort dans le ciel bleu.

Little Brew a foncé droit devant ; il est passé par-dessus l'épaule de la première vague et s'est enfoncé dans le creux de la suivante. Je ne respirais plus. J'ai vu Ty remonter sur sa planche, lever la main pour dire qu'il n'avait rien. Little Brew a fait gronder son moteur ; il ne savait pas dans quelle direction aller.

Je n'ai pas vu Tommy.

Personne ne voyait Tommy.

— Non, non, non, non, j'ai murmuré en scrutant le grand vide de l'océan.

Puis, Ollie a poussé un cri. Nous avons tous suivi la direction qu'indiquait son bras. Tommy était là, porté par son gilet orange, un bras levé. La vague l'avait ramené plus près du rivage que nous avions cru. Little Brew a foncé en avant en donnant le maximum de vitesse. Derrière nous, la vague suivante montait toujours. Little Brew prenait des risques, mais si nous n'arrivions pas à temps, Tommy allait endurer une deuxième plongée. Comme nous approchions, j'ai vu qu'il était déjà aspiré dans le creux qui commençait à s'enrouler. Sa tête n'était qu'un point minuscule au milieu de cette immensité. Il allait être entraîné, c'était inévitable. Little Brew se dirigea vers le sud, hors du point d'impact, à l'endroit où il pensait que Tommy allait ressortir. Je n'ai pas pu regarder Tommy disparaître une deuxième fois ; quand la masse d'écume et d'eau s'est abattue sur lui, j'ai fermé les yeux.

Pendant un temps interminable, les remous d'écume ont tourbillonné sans qu'on l'aperçoive. Je hurlais ; je ne m'en rendais pas compte, mais les autres me l'ont dit plus tard. J'aurais voulu implorer la vague de s'arrêter. C'est seulement quand elle a eu terminé sa course que j'ai vu la tête brune de Tommy. Il flottait dans les turbulences qui se précipitaient vers le rivage. J'ai glapi.

— Là-bas !

Tout le monde a crié en écho. Little Brew a filé en poussant les moteurs à fond ; j'enfonçais mes ongles dans son dos. Le Jet-Ski volait à la surface de l'eau avec un vrombissement suraigu qui évoquait celui d'un moustique. Nous avons rejoint Tommy très vite, et à mon grand soulagement, je l'ai vu lever une main. Mais les choses n'étaient pas aussi simples. Little Brew s'est penché pour attraper mon frère. Avant qu'il ait pu le hisser à bord et s'éloigner avec lui, une nouvelle vague arrivait sur nous. Je voyais que Tommy n'en pouvait plus. Little Brew faisait des efforts désespérés pour le soulever et le tirer vers lui ; de mon côté, je l'avais attrapé par son gilet et je l'attirais sur le siège devant moi. Tommy a fini par s'affaler n'importe comment devant Little Brew, qui a remis les gaz à fond. Les jambes de Tommy étaient encore dans l'eau, Little Brew le maintenait contre lui ; moi, je me tenais à Little Brew. Derrière nous, la vague scintillait comme une lame géante. Tommy glissait de plus en plus ; il était plus qu'à moitié dans l'eau. Il fallait ralentir pour le garder avec nous. Je me suis penchée en avant pour saisir son gilet au moment où la vague a déferlé sur nous. Ma main a lâché Tommy. J'ai gémi encore *Non, non, non* en fermant les yeux. Je ne pouvais pas voir Tommy se perdre encore une fois. Mais le moteur vrombissait toujours ; j'ai ouvert les yeux et j'ai vu que Little Brew avait une main sur les manettes, et l'autre sur Tommy qu'il tenait fermement par le gilet.

— Tiens bon ! a-t-il hurlé, à moi, à Tommy, à tous ceux qui pouvaient l'entendre.

Il a accéléré. Des gerbes d'eau s'épanouissaient derrière nous comme des plumes de paon. Le visage de Tommy avait pris une couleur de terre. Quand il a vu que je le regardais, il a fait le geste qui signifiait qu'il s'étouffait, puis il a fermé les yeux.

— Il ne peut plus respirer ! Il ne peut plus respirer ! Il faut le ramener à terre !

Little Brew m'a jeté un coup d'œil par-dessus son épaule.

— Tout de suite ! Il ne respire plus ! Il a besoin de son médicament !

Little Brew a fait signe qu'il avait compris et a foncé droit vers le rivage. Ollie était derrière nous. Les courants essayaient de nous ramener vers le large, mais Little Brew les contrait avec une maîtrise de professionnel.

C'est alors que j'ai aperçu le requin.

Il nageait à un mètre cinquante de profondeur, peut-être plus. Il est passé comme un éclair bleu-gris ; son aileron affleurait à peine à la surface. Ollie ne l'a pas vu, pas plus que Little Brew, trop occupé à manœuvrer. Tommy avait les yeux fermés. Mais moi, je l'ai vu. C'était comme si j'avais attendu toute ma vie de le voir.

Il est passé très vite ; son corps devait faire au moins trois fois la longueur du Jet-Ski. Il était pressé, mais il a basculé légèrement sur un côté et j'ai vu son œil. Pour lui, à ce moment-là, je n'étais pas une proie. Il avait été effrayé par quelque chose, peut-être par le gémissement assourdissant du moteur, et il se dépêchait. Il a glissé tout en souplesse vers le fond ; sa queue a fait deux fois un mouvement de va-et-vient, et il a disparu. À part le bruit du moteur, on n'entendait plus rien. Les mouettes s'étaient tues et même le vent ne sifflait plus à mes oreilles. Le requin avait tout emporté vers les fonds marins.

Little Brew a forcé son Jet aussi près du bord qu'il le pouvait, mais les jambes de Tommy qui dépassaient l'empêchaient d'aller jusqu'à la plage. Ollie a sauté dans l'eau pour l'aider à porter mon petit frère sur le sable, pendant que je courais jusqu'à notre sac à dos. Je l'ai renversé n'importe comment et j'ai pris l'inhalateur, puis je me suis glissée entre les deux garçons pour soulever la tête de Tommy et glisser l'embout entre ses lèvres. Il n'a pas ouvert les yeux. Sa poitrine ne se soulevait plus. J'ai appuyé sur le bouton-poussoir.

— Appelez les secours, j'ai dit, tout de suite !
— Je n'ai pas de portable, a dit Little Brew.
— Demande à quelqu'un sur la plage ! Cours ! Il faut appeler les pompiers !

Il est parti immédiatement au pas de course. Je me suis tournée vers Ollie.

— J'ai vu un requin. Va le dire aux autres.

Il me regardait sans bouger, stupéfait.

— Il y a un requin, là, près du bord ! Un grand blanc.
— O.K. J'y vais.

Je me suis penchée pour chuchoter à l'oreille de Tommy.

— J'ai vu un requin !

Mais il ne respirait plus. J'ai écouté près de sa bouche ; il n'y avait pas d'air entre ses lèvres, dans ses poumons. Le Jet-Ski d'Ollie s'est remis en marche. Très vite, le bruit de son moteur a été supplanté par celui de sirènes d'ambulance. J'ai appuyé sur la poitrine de Tommy ; ses paupières ont frémi. Il avait du sable sur le menton et une marque rouge dans le cou, là où le gilet lui avait irrité la peau.

Little Brew est venu tomber à genoux à côté de nous.

— Les secours arrivent. Quelqu'un les a appelés en nous voyant rentrer.

Un filet d'eau s'est écoulé de la bouche de Tommy ; j'ai tourné sa tête. Quand l'eau a cessé de couler, je l'ai reposée, et j'ai appuyé ma bouche sur la sienne. J'ai soufflé dans ses poumons. Je n'étais pas sûre de bien faire.

— Tire son menton en arrière, a dit Little Brew.

Je l'ai fait. J'ai soufflé plus fort et j'ai trouvé mon rythme, en comptant chaque fois. Little Brew a étendu doucement les jambes de Tommy. Ça ne faisait pas beaucoup de différence, mais il l'a fait quand même.

Brusquement, une paire de souliers noirs et un pantalon noir à pli sont apparus. Je n'ai pas levé les yeux, je ne regardais que Tommy, mais deux mains m'ont repoussée. J'ai donné les précisions nécessaires : *mucoviscidose, sortie en surf, pas de Pulmozyme, pas assez d'air, Tommy, il s'appelle Tommy, c'est mon frère. C'est moi qui suis responsable de lui, oui, nous venons du New Hampshire, je ne sais pas, il a onze ans, oui, mais jamais à ce point-là, notre mère est à San Francisco, j'ai vu un requin, il y a un requin juste avant le break, je m'appelle Bee.*

Les médecins ont emporté Tommy, un masque à oxygène sur le visage. Leur radio grésillait, des ordres et des indications se croisaient sur les ondes. J'ai suivi la civière jusqu'à ce qu'ils la glissent à l'intérieur de l'ambulance. Tommy avait l'air d'un nouveau-né perdu au milieu des draps blancs. Il paraissait épuisé, et tranquille. J'ai voulu monter à côté de lui, mais on m'a fait redescendre. La sirène s'est mise en marche, stridente. Un infirmier m'a tendu une carte et m'a dit de les suivre.

Ty est apparu près de moi.

— Je t'emmène, Bee, viens.

Ollie portait mon sac ; Little Brew et Ty ont couru avec moi jusqu'à la voiture. Resté au soleil, le minibus était aussi brûlant qu'un four. C'était étrange de trouver une telle chaleur en sortant de l'eau glacée ; Little Brew a voulu baisser les vitres, mais je lui ai demandé de les laisser fermées. Je ne pouvais pas m'empêcher de trembler dans ma combinaison. La chaleur aidait un peu.

Ty s'est effondré.

Il s'est effondré au premier feu rouge. Il a posé son visage sur le volant et il s'est mis à pleurer. J'aurais voulu le réconforter, mais j'étais muette. J'ai étendu une main pour la poser sur son épaule. Il n'a pas bougé. Quand le feu est passé au vert, Little Brew lui a donné une tape sur l'autre épaule et lui a dit d'avancer. Ty s'est repris et il a démarré. La circulation était dense ; les gens profitaient de la fin d'après-midi pour sortir ou rentrer chez eux. Au feu suivant, j'ai pris la parole.

— J'ai vu un requin.

Ty a hoché la tête en silence.

— Il était grand et il avait la peau foncée. Il se sauvait, il avait peur de quelque chose. Il nageait vite. C'était un grand blanc.

Personne n'a plus rien dit. Nous avons poursuivi notre route dans la chaleur écrasante jusqu'au moment où nous avons baissé les vitres et laissé entrer l'air de l'après-midi. Deux moustiques sont entrés en vrombissant.

*

Le téléphone contre ma joue, j'ai chuchoté :

— Nous avons eu un accident.

Ma mère a demandé :

— Où es-tu, Bee ?

— Tommy...

— Où es-tu ? Dis-le-moi immédiatement.

— Au Sequoia Hospital à Redwood City, près de Half Moon Bay.

— Half Moon Bay est au sud, c'est ça ?

— Oui.

— Qu'est-ce qui s'est passé ?

— Tommy est tombé à l'eau. On ne pouvait plus le sortir des vagues.

La voix de ma mère était dure, métallique.

— Bee, qu'est-ce que tu es en train de me dire ?

— Nous sommes à l'hôpital.

— Mais ça va aller ?

— Je ne sais pas.

— Bee ?

— Fais vite, s'il te plaît.

Je l'entendais jeter des choses dans son sac tout en me parlant.

— Bee, tu as une énorme responsabilité dans tout ça. J'étais folle d'angoisse.

— Il est blessé, maman.

— Il y a un médecin près de toi ? Je veux parler à quelqu'un.

— Pour le moment, nous sommes dans la salle d'attente ; il n'y a personne à qui parler. Ils s'occupent de lui.

— Je serai là aussi vite que c'est humainement possible. Je peux te joindre à ce numéro ?

— Oui.

— Tu réponds sur ce foutu téléphone si je t'appelle, tu m'entends ?

— Oui, maman.

— Bee, est-ce que je ne t'ai pas dit que Tommy n'était pas assez résistant pour ce genre de choses ?

— Viens vite, maman. Je t'en prie, je te raconterai.

Elle n'a plus rien dit. J'entendais tinter ses bracelets ; sa respiration s'est éloignée un moment, puis est revenue.

— Ma valise est prête. Je quitte l'hôtel et j'arrive. Ne bouge surtout pas.

— Je ne bouge pas.

— Dis-lui que je l'aime.

— Je ne l'ai pas encore vu.

— Tu n'es pas en train de me dire qu'il est mort, Bee ?

Sa voix était montée d'une octave.

— Je ne sais pas. Il ne respirait plus, mais il a bougé les paupières.

— Oh, mon Dieu ! Non, pas Tommy...

— Fais vite.

— Si tu as des nouvelles, tu m'appelles sur-le-champ, tu entends ?

— Oui, promis.

J'ai entendu une porte claquer, et puis le bruit de ses talons sur le carrelage.

— Tu es inexcusable, Bee, c'était complètement irresponsable, ce que tu as fait.

— C'est vrai ; je me déteste.

— Tu n'aurais pas dû l'encourager.

— Je suis désolée, maman.

— Il a tellement d'admiration pour toi.

— Oui, maman, dépêche-toi.

— Ne quitte pas.

Elle n'a plus parlé, mais elle n'a pas raccroché non plus. Je l'ai entendue aller jusqu'au
bureau de l'hôtel, jeter sa clé dans les mains
de quelqu'un, expliquer en une seule phrase
qu'elle partait et continuer vers la sortie en
claquant des talons. J'entendais le bruit de la
valise qui roulait derrière elle. Puis elle a raccroché, et je n'ai plus rien entendu.

*

— Tu as vraiment vu un requin ? a chuchoté Little Brew.

Nous étions assis dans la salle d'attente. Je
portais un tee-shirt et une serviette enroulée
autour de la taille ; Little Brew avait son short
baggy et rien d'autre. Nous n'avions pas eu le
temps de nous changer, parce que nous atten-
dions des nouvelles d'une minute à l'autre.
L'air conditionné nous semblait glacé. Un petit
réfrigérateur était installé à côté de la machine

à café. On l'entendait bourdonner par intermittence. Ty était sorti chercher une place au
parking ; il ne pouvait pas laisser le minibus
devant l'entrée. J'avais l'impression que la journée s'était enfuie quelque part, et qu'il ne nous
restait plus qu'à l'attendre.

J'ai fait signe que oui, j'avais vraiment vu
un requin.

— Quelle journée dingue ! Un vrai cauche-
mar.

— Il était foncé, pas blanc, même si c'était
un requin blanc. Il était foncé sur le dos.
Tommy dit qu'ils bronzent au soleil.

— Je ne savais pas ça.

— Tommy sait tout sur les requins.

Little Brew a hoché la tête. Quelque chose
me disait que je devais continuer à parler de
requins ; c'était une façon de parler de Tommy,
de continuer à le soutenir.

Ty est revenu. Il nous a raconté comment
il avait trouvé une place de parking, avec un
luxe de détails qui n'était pas nécessaire. Il
essayait d'empêcher le silence de nous étouffer tous. Little Brew lui a raconté que j'avais
vu le requin. Ty s'est assis, et il a commencé
à battre la mesure avec un pied. Il avait du
sable sur les mollets, et une trace de sel près
de l'œil droit.

— Ollie a prévenu tout le monde dans l'eau, et sur la plage aussi. Certains des surfeurs sont restés encore un peu, mais c'était pour la frime.

— C'est bien, j'ai dit.

— Les garde-côtes vont sûrement évacuer tout le monde et envoyer un hélicoptère. Sur la plage, il y a des gens qui ont cru que l'accident de Tommy était une attaque de requins ; ils ont tout confondu.

— O.K., dit Ty.

C'était sa manière de dire à Little Brew de se taire.

Nous sommes restés à attendre en silence. Un garçon avec la jambe dans le plâtre est passé en boitillant, suivi par une infirmière qui portait un plateau recouvert d'un linge blanc. Quelque part dans l'immeuble, une sonnerie stridente a retenti, qui évoquait la roulette d'un dentiste. Quand le bruit a cessé, un chien s'est mis à aboyer dans le parking. Tous les sons résonnaient et ricochaient dans ma tête.

Je me suis levée et j'ai avancé vers les portes battantes. Ça faisait trop longtemps que j'attendais. J'ai poussé les portes et j'ai continué droit devant moi. Je ne savais pas du tout où j'allais, mais j'ai dépassé le bureau des infirmières et j'ai continué droit devant moi. Quelqu'un gémissait dans l'une des chambres. Le couloir était éclairé par une longue rangée de néons blancs.

— Mademoiselle ? a dit une voix derrière moi.

J'ai continué à marcher sans me retourner.

Il fallait que je continue à marcher. Si je ne marchais plus, j'allais m'effondrer. Tommy était là quelque part, dans l'une de ces chambres, et il fallait que je le trouve. Quelqu'un venait vers moi en sens inverse, un homme qui poussait une machine roulante. Nous nous sommes croisés avec un signe de tête, et la femme derrière moi a encore appelé : *Mademoiselle ?* J'ai entendu ses pas se rapprocher, mais ça n'avait pas d'importance, parce que j'avais trouvé la chambre de Tommy. J'ai vu son gilet de sauvetage orange, posé sur le chariot roulant devant sa porte. Les bretelles avaient été coupées. Le gilet pendait comme une truite vidée et découpée en filets sur une plaque métallique.

Voir ce gilet m'a paralysée. Je ne pouvais plus avancer ni reculer. L'infirmière qui m'avait appelée m'a pris par le coude. Elle avait un visage trop maquillé et des cheveux couleur de rouille.

— Vous ne pouvez pas rester là, ma petite.

— Mon frère est là, dans cette chambre.

— Nous faisons tout notre possible, a-t-elle promis en me tirant par le bras pour me faire partir.

J'ai dégagé mon bras et couvert en deux enjambées la distance qui me séparait de la porte. Elle était restée entrouverte ; j'ai vu le visage pâle de Tommy entre les dos de deux ou trois médecins. On avait attaché quelque chose dans sa bouche, et le drap était tiré jusque sous son menton. Avant d'avoir pu faire un pas de plus, j'ai entendu maman qui m'appelait.

— Bee ?

Elle courait presque dans le couloir ; ses talons claquaient sur les dalles. Je me suis jetée dans ses bras, et elle m'a serrée contre elle. Des sanglots venus de très loin me déchiraient la gorge. Elle m'a soutenue et nous avons marché vers la salle d'attente. Nous avons croisé le garçon avec son plâtre qui n'a pas levé les yeux. Il fixait ses pieds, concentré sur son effort pour marcher.

La lumière faiblissait dans la salle d'attente, les ombres s'allongeaient lentement. Les stores vénitiens gris vert et poussiéreux s'agitaient mollement dans le souffle d'air conditionné. Deux lattes étaient cassées. Personne n'avait allumé la télévision. Ma mère s'est assise à côté de Ty et Little Brew après les avoir salués d'un signe de tête sec. Elle a seulement soupiré :

— Mais comment avez-vous pu faire ça ?

Personne n'a répondu. Le temps passait lentement. Chaque fois que les portes battantes s'ouvraient, tout le monde relevait la tête en même temps. Des inconnus passaient, une infirmière, un patient. Ce n'était pas Tommy. Les lampes au néon grésillaient. Une odeur de café sucré s'attardait dans l'air, et une mouche bourdonnait près de l'horloge murale.

Enfin, une voix appela notre nom. Une infirmière vint nous chercher, maman et moi. Ty a sauté sur ses pieds, Little Brew m'a serré la main, discrètement, pour m'encourager. Nous avons suivi l'infirmière qui marchait sans bruit sur ses chaussures blanches. Elle portait un stéthoscope dans sa poche poitrine. Quand elle a tourné à l'angle du couloir, ses semelles ont grincé, un peu comme grincent les chaussures de sport des filles qui s'entraînent au gymnase. Un peu seulement.

Le Dr Shemp était grand et mince ; il parlait en inclinant la tête de côté, comme si son épaule allait lui souffler ses pensées. Il avait un Blackberry dans une main, un bloc-notes coincé sous l'aisselle. On ne pouvait pas s'asseoir sur les sièges en cuir de son bureau ni changer de position sans faire des bruits incongrus.

— Il est dans un état sérieux, a-t-il annoncé en nous faisant signe de nous installer, mais à ce stade, nous pensons qu'il est tiré d'affaire. Il a avalé beaucoup d'eau. Dans son cas, ça aggrave les choses. Mais à moins de complications inattendues, il devrait être remis sur pied dans quelques jours.

— Est-ce qu'on peut le voir ? j'ai demandé.

Le Dr Shemp a fait la moue comme s'il n'avait jamais entendu cette question.

— Pas encore. Laissez-le se reposer, et nous verrons comment il sera demain matin. Il n'est vraiment pas passé loin, vous comprenez. Jamais il ne devrait être autorisé à refaire ce genre d'expériences.

Il m'a jeté un coup d'œil avant de faire signe à ma mère qu'il avait compris la situation.

— C'est tout, alors ? demanda-t-elle.

— À peu près, oui. Compte tenu de sa mucoviscidose, on peut dire qu'il s'en sort bien. Les vagues d'ici sont vraiment énormes. Je ne pense pas qu'il souffrira d'effets secondaires, mais on ne sait jamais avec certitude. Vous venez du New Hampshire, si je comprends bien ?

— Oui.

— Il va devoir prendre l'avion, donc. Je vous recommande de prendre rendez-vous avec son médecin traitant sans tarder. Vous pouvez l'appeler d'ici, si vous voulez, ou je peux m'en charger moi-même. Il aura besoin d'être examiné en arrivant.

J'ai posé la question qui me brûlait les lèvres.

— Est-ce qu'il a été tout près de mourir ?

Le Dr Shemp n'a rien répondu. Maman m'a pris la main.

— Nous comprenons. Pouvons-nous juste le voir un instant, de loin ? Nous allons passer la nuit ici de toute façon.

Le Dr Shemp a haussé les épaules.

— Je suppose que ça ne peut pas lui faire de mal, mais je vous en prie, n'essayez pas de lui parler ni d'entrer en communication avec lui. Il a besoin de repos complet.

Nous nous sommes levées, lui aussi. Il est resté derrière son bureau. Nous avons attendu une seconde avant de sortir. Dans le couloir, maman s'est tournée vers moi et nous sommes tombées dans les bras l'une de l'autre. Je tremblais.

— Il va bien, a dit maman. Tout ira bien.

— Pardon, maman.

— Je sais que tu ne pensais pas que ça pouvait tourner mal.

Nous sommes restées un moment serrées l'une contre l'autre avant de nous séparer. Maman s'est essuyé les yeux.

— Il faut aller prévenir Ty et Little Brew, j'ai dit. Ils attendent des nouvelles.

— D'accord, vas-y et moi, je vais aller voir Tommy.

Je me suis dépêchée de rejoindre la salle d'attente. Ty n'avait pas bougé, mais Little Brew avait trouvé un moyen de s'installer confortablement dans les chaises en plastique. Il avait allongé les jambes sur l'une d'elles et il était plongé dans la lecture du *National Geographic*. Je leur ai souri.

— Il va s'en sortir, j'ai annoncé. L'eau est entrée dans ses poumons, mais ça va aller.

Ty s'est mis debout et m'a pris dans ses bras, puis Little Brew en a fait autant. Ty est retombé dans sa chaise et a semblé perdre toutes ses forces. Il a caché son visage dans ses mains.

— J'ai cru que j'avais tué cet enfant, a-t-il murmuré entre ses doigts. Je n'arrive pas à y croire...

Je lui ai posé une main sur l'épaule.

— Il va bien. Tommy est un battant.

— Poney des neiges, a corrigé Little Brew.

— Poney des neiges, j'ai répété.

— Je n'arrive pas à y croire, a encore dit Ty. Jamais je ne me le serais pardonné.

— Nous avons été cinglés de le laisser essayer, j'ai dit. Je ne sais pas comment nous avons pu le laisser faire ça. C'était un cas de folie collective.

— Nous pensions qu'il avait besoin de faire quelque chose d'extraordinaire, a ajouté Little Brew. Vous ne pouvez pas tout vous reprocher non plus ; ce n'est pas entièrement votre faute si les choses ont tourné comme ça. Il tenait absolument à y aller. Il n'a pas hésité une seconde.

— Je sais bien, mais nous aurions dû l'en empêcher. Moi, qui suis responsable de lui, j'aurais dû l'en empêcher.

Ty s'est relevé.

— Est-ce qu'on peut le voir ?

— Demain. Le médecin dit qu'il a besoin de repos complet. Ma mère est avec lui en ce moment.

Ty m'a encore serré contre lui, très fort, puis Little Brew en a fait autant. Je ne voulais plus le laisser partir, la chaleur que dégageait son corps était la chose la plus précieuse du monde. Il m'a embrassée sur la joue en me maintenant contre lui. Nous avions traversé trop d'épreuves ensemble, en trop peu de temps. Nous sommes restés serrés l'un contre l'autre dans la salle d'attente. Du coin de l'œil, j'ai vu qu'une pluie fine s'était mise à tomber.

TOMMY INFO SUR LES REQUINS # 10 : Tommy a trouvé sur YouTube un clip vidéo d'un surfeur attaqué par deux requins en Australie. Il l'a vu tant de fois qu'il est capable de la décrire image par image sans le regarder. Un touriste italien était en train de filmer les surfeurs quand un grand requin blanc a surgi brusquement, a saisi une planche de surf entre ses dents et l'a jetée dans le creux entre deux vagues. Ce qui avait étonné Tommy et les chercheurs qui se sont intéressés à l'incident, c'est que deux requins ont vraiment paru coopérer à cette occasion : il y avait en effet un deuxième requin à l'affût au creux de la vague. Le surfeur a été mordu au bras gauche, mais sa vie n'a pas été mise en danger. Les requins se sont souvenus que les humains n'étaient pas leurs mammifères marins favoris. Ils ont disparu et le surfeur a pu regagner le bord à la nage. Les autorités ont fermé la plage deux jours avant de la rouvrir au public. La vidéo a été mise en ligne sur un site nommé Shark Watch. Tommy reçoit des messages d'une douzaine de sites dédiés aux requins, et il est abonné au Fonds international de documentation sur les attaques de requins. C'est une base de données établie en Floride qui répertorie les attaques de requins signalées dans le monde.

Tommy s'intéresse aux impressions des victimes, juste avant l'attaque ou l'arrivée d'un grand blanc à proximité. Beaucoup ont fait état d'un sentiment de danger imminent, d'une conscience de la présence d'un grand prédateur. Il dit que s'il avait la possibilité de faire de la recherche un jour, c'est ce sujet qu'il aimerait explorer. D'après lui, cette impression de chatouillement dans la nuque qui nous avertit parfois d'un danger est peut-être notre réaction instinctive la plus ancienne. Dans *The Devil's Teeth*[1], son livre préféré, il a trouvé l'histoire d'un pêcheur d'oursins nommé Joe Burke qui a rencontré une énorme femelle au large des îles Farallon. Le requin a montré un intérêt agressif pour le plongeur, mais aussi ce qu'il faut bien décrire comme une certaine malice. Il s'amusait à disparaître et à réapparaître au moment où Burke s'y attendait le moins. Celui-ci avait essayé de se cacher derrière des rochers, mais chaque fois qu'il quittait sa cachette, il voyait réapparaître l'animal. Ce qui était particulièrement éprouvant pour Burke, c'est que non seulement le jeu durait trop longtemps à son goût, mais il lui semblait aussi que le requin s'en amusait franchement. Comme il avait peur de ne plus avoir assez d'air, Burke a fini par s'installer dans son panier à oursins et faire signe à son partenaire resté en surface de le remonter. Le requin a suivi sa progression jusqu'à la surface en décrivant des cercles autour de lui. On aurait dit qu'il cherchait un moyen de lui tendre une embuscade. Burke se sentait pris dans une espèce de valse-hésitation avec le grand prédateur ; il s'est surpris lui-même en devinant

1. Susan Casey, *Les Dents du diable*. *(N.d.T.)*

à quel endroit précisément la bête allait réapparaître.

*

J'ai posé un baiser sur le front de Tommy.
Il ne s'est pas réveillé. Maman était assise près
du lit, sur une chaise. Le respirateur que les
médecins avaient branché sur la bouche de
Tommy vrombissait à petit bruit au rythme
de son souffle. De l'autre côté du lit, j'ai jeté
un regard vers ma mère.

Nous savions toutes les deux que nous allions
nous trouver encore dans cette situation à l'ave-
nir. Nous l'avions parfaitement compris. Un
jour viendrait où nous serions assises de part
et d'autre d'un lit d'hôpital, avec Tommy entre
nous deux. Ce serait un jour différent, un jour
qui n'aurait pas de fin. Ce jour-là, nous per-
drions Tommy. Le regard qui est passé entre
nous contenait cette certitude-là. Nous n'avions
pas besoin d'en parler. J'ai vu les yeux de ma
mère se remplir de larmes ; une seconde, je
me suis mise à sa place, j'ai imaginé ce qu'elle
avait ressenti quand les médecins lui avaient
annoncé que son fils était atteint de mucoviscidose. D'un instant à l'autre, son univers avait
changé ; tout ce qui lui restait à faire, c'était

surveiller la progression des symptômes. Jamais plus rien n'avait été comme avant.

Elle a soutenu mon regard longtemps, et puis ce qui était passé entre nous s'est dissipé.

— Tu as faim ? a-t-elle demandé.

— Une faim de loup.

*

— Alors, tout à l'heure, c'est le fameux Ty Barry que j'ai vu ? demanda ma mère en étudiant le menu. Il est beau gosse. Et son frère est absolument renversant. De la graine de star de cinéma ! Je suis sûre que tu ne l'as même pas remarqué...

J'ai souri, et elle m'a rendu mon sourire.

Nous étions installées dans un petit restaurant de Redwood City, le premier que nous avions trouvé sur la route de l'hôpital. Maman avait loué une voiture pour venir nous rejoindre. Les propriétaires des lieux avaient acheté le local dans l'Indiana et l'avaient méticuleusement reconstitué en Californie, avec un grand respect pour le détail authentique. Du coup, l'ensemble paraissait complètement artificiel. Ils avaient baptisé l'endroit *Calamity Jane's*, et avaient ajouté l'air conditionné à l'original.

— Ty Barry est le surfeur qui a été attaqué par un grand requin blanc, j'ai expliqué.

— Le grand héros de Tommy. J'en ai entendu parler.

Elle chercha des yeux la serveuse qui était occupée à servir une autre table. Ma mère adore dîner dehors ; elle étudie toujours le menu avec soin, même si elle ne commande jamais rien d'exotique.

— Ty a été formidable avec Tommy. Il l'admire sincèrement ; ce n'est pas un gamin qu'il accepte de traîner à ses basques, c'est quelqu'un qu'il aime et apprécie.

— Qui n'apprécierait pas Tommy ? a demandé maman.

Elle a réussi à croiser le regard de la serveuse. Débordée, celle-ci lui a fait signe qu'elle n'allait pas tarder. Son carnet de commandes dépassait de sa poche et menaçait de tomber à chaque pas.

— Tommy n'a pas d'amis, maman, j'ai dit patiemment. Les enfants de son âge ne voient en lui qu'une tête d'œuf maigrichonne. Ils l'appellent E.T. Ils n'ont pas la patience nécessaire pour apprendre à le connaître.

— Il a des amis ! Il est ami avec Larry Feingold...

— Larry est un *loser*, maman. C'est un fondu de *Donjons et Dragons* ! Tommy n'aime pas jouer avec lui, il fait semblant. Avec Ty et Little Brew, il a enfin été adopté dans un groupe. Il se sent accepté comme il est. Ils lui ont même donné un surnom : Poney des neiges.

— Poney des neiges ?

Je savais que je ne pourrais pas vraiment expliquer, et que quoi que je dise, maman ne verrait pas les choses sous le même angle que moi. Elle avait faim, elle voulait que la serveuse vienne s'occuper de nous ; ça l'ennuyait de devoir attendre. Les choses que ma mère ne veut pas voir, elle les écarte, tout simplement. Parfois, elle me fait penser à un chasse-neige : étroite et pointée dans une seule direction, avec des volutes de neige qui s'envolent de chaque côté. Ce n'est pas qu'elle ignore volontairement ce qui l'entoure, mais plutôt qu'elle est trop concentrée sur le bout de ses chaussures pour voir le chemin qui monte devant elle. Pour voir la façon dont son comportement affecte les autres.

Finalement la serveuse est venue prendre notre commande : des hamburgers et une seule portion de frites à partager. Quand ma mère a vérifié les messages sur son portable, j'ai regardé par la fenêtre.

— J'ai appelé M. Cotter, a-t-elle dit. Je lui ai demandé si la fondation pouvait prendre en charge les frais d'hospitalisation. Si elle ne le fait pas, on sera très mal.

— Je suis désolée, maman.

Elle m'a regardée sans rien dire, puis elle a saisi la salière et a fait couler un petit tas de sel sur la table avant de caler la salière en équilibre sur le sel. Il lui a fallu un moment, mais elle a réussi. Quand elle a repris la parole, elle n'a pas levé les yeux de son montage.

— Je sais que tu me trouves assez nulle, comme mère...

Elle a levé la main pour m'empêcher de répondre.

— Ne dis pas le contraire, je te comprends. Tu penses que je m'intéresse trop aux hommes, et que je ne peux pas me passer de leur compagnie quoi qu'il arrive. Je sais très bien ce que vous vous racontez entre vous, Tommy et toi. Je ne suis ni sourde ni idiote.

Je n'ai rien répondu. Elle m'a jeté un coup d'œil et a vite baissé les yeux vers la salière.

— Je le sais, et je pense que vous avez raison, en garde partie. J'ai besoin d'avoir des hommes autour de moi, c'est comme ça. Je n'ai jamais pu m'en passer. Ce n'est pas le trait de caractère que je préfère chez moi ; je suis bien consciente que c'est souvent destructeur. Mais d'un autre côté – tu n'en as pas gardé le souvenir comme moi – j'ai passé des années entières complètement seule. Quand tu étais petite, il n'y avait que nous trois, toi, moi, et Tommy. Ton père nous a quittés dès qu'il a su que Tommy était malade. Ces années-là, tu ne sais pas ce qu'elles ont été, Bee.

— Je comprends, maman. Tu n'as pas besoin de t'expliquer.

— Je veux que tu saches comment sont les choses, de mon côté.

— Je ne te juge pas, maman.

— Bien sûr que si, tu me juges ! a-t-elle dit en me regardant bien en face. Tout le monde juge tout le monde, c'est parfaitement humain. C'est censé être une technique de survie : il faut juger les gens pour savoir si on peut leur faire confiance ou pas, si on peut compter sur eux quand on a besoin d'aide. C'est tribal. Du moins, c'est ce que j'ai lu quelque part.

Je n'ai rien dit ; je ne voulais pas l'interrompre.

— Donc, je me retrouve seule avec deux enfants dont un atteint de mucoviscidose, dans une petite ville du New Hampshire. Ça fait beaucoup, tu sais. Les soins médicaux coûtent les yeux de la tête. Si je travaillais, il fallait que je paie quelqu'un pour s'occuper des enfants. Pour avoir une nounou correcte, il fallait en gros que je lui donne l'équivalent de mon salaire, de sorte que je travaillais pour qu'une femme étrangère s'occupe de mes enfants. Tes grands-parents, tu les connais. Mon père ne m'a jamais appréciée, il ne s'est jamais soucié de moi. Je crois qu'il ne m'aimait pas, point final. Il a vu dans la faillite de mon mariage la confirmation de ce qu'il savait déjà : rien de ce que je ferais ne serait jamais un succès. Il avait donc eu raison. Ma mère est une petite souris qui trottine à ses côtés en rasant les murs. C'est vrai que j'ai dû essayer de trouver un peu d'approbation dans le regard des hommes, celle qui m'avait toujours manqué. Je me cherchais un père. J'ai lu assez de livres de psychologie pour savoir ça.

La serveuse a apporté nos hamburgers. Maman a mis du ketchup sur ses frites, pas sur les miennes : je déteste les condiments. Elle a remis la salière à sa place habituelle.

— Ça te gêne, ce que je te raconte ?

J'ai fait signe que non, ça ne me gênait pas. Je ne l'avais jamais vue se confier avec tant de franchise.

— Étant donné ce qui est arrivé aujourd'hui, je crois que c'est bien de parler, a-t-elle poursuivi. J'en ai envie, en tout cas ; je ne me cherche pas d'excuses ; j'essaie d'éclairer un peu les événements. Nous venons de voir à quel point les choses peuvent dégénérer, et à quelle vitesse aussi. Nous avons failli perdre Tommy.

J'ai hoché la tête en silence.

— C'est tout, en fait. Il fallait le dire. Tout ça, j'aurais dû te le dire plus tôt.

— Je peux te poser une question alors, puisqu'on se dit tout ?

— Vas-y.

— Pourquoi est-ce que tu donnes des rendez-vous à des types qui ne vont rien t'apporter, même quand c'est évident qu'ils ne vont rien t'apporter ?

Elle a réfléchi un instant en jouant pensivement avec ses frites.

— Je ne pense pas qu'ils ne vont rien m'apporter, au début. Ou alors, je me persuade du contraire. Je me dis qu'ils ont du charme ou qu'ils sont gentils. Tout le monde a quelque chose d'intéressant, tu sais, au moins un trait. C'est ce que j'essaie de voir. Et aussi, je me sens seule. Parfois, la seule présence de quelqu'un est suffisante. Quelqu'un qui sera dans le même bateau.

— Je comprends.

Elle m'a regardé. Elle n'avait pas touché à son hamburger.

— Ce n'est pas que je ne vous aime pas, toi et Tommy. Au contraire. Ce n'est pas vous, ou les hommes, il n'y a pas de compétition.

— Mais tu n'es pas rentrée l'autre soir. Nous sommes venus jusqu'ici pour Tommy, c'était son voyage.

— Je sais. J'ai eu tort. Je lui dois des excuses et je les lui ferai ; je t'en fais à toi aussi. J'ai eu l'impression d'être en vacances, et j'ai suivi le mouvement... J'avais tout faux. Quelquefois, je ne fais pas le bon choix, tu as raison.

— Ça met Tommy mal à l'aise quand tu ne rentres pas de la nuit.

Elle a baissé la tête.

— Et moi aussi, ça me met mal à l'aise, je te le dis simplement pour que tu le saches.

Elle a fait signe qu'elle avait entendu.

Elle a pris son hamburger et a attendu que j'en fasse autant avec le mien, et puis elle a fait une chose que nous n'avions plus faite depuis longtemps : elle a écarté les deux petits doigts en l'air. La règle du jeu était la suivante : puisqu'on avait le petit doigt en l'air, ça voulait dire qu'on mangeait très convenablement. On pouvait alors s'empiffrer n'importe comment.

J'ai porté mon hamburger à mes lèvres, le petit doigt en l'air, et je lui ai souri.

MARDI

Tommy est revenu à lui dans la nuit. J'étais la seule réveillée.

Je dormais sur une chaise placée assez près du lit pour que je puisse y étendre les jambes. À côté de moi, Maman avait la tête posée près de l'oreiller. Elle était plus près de Tommy, mais c'est moi qui l'ai vu la première. Quand j'ai ouvert les yeux, j'ai croisé son regard. Une fraction de seconde, j'ai pensé qu'il était mort : il avait le visage blanc et pincé, et il ne cillait pas. Je n'ai pas bougé. Je l'ai regardé fixement jusqu'à ce qu'il cligne des yeux. Alors seulement j'ai compris qu'il était vivant. J'ai fait le tour du lit pour m'approcher.

Le respirateur l'empêchait de parler. Je me suis penchée pour lui prendre la main ; je l'ai serrée dans la mienne. Il a essayé d'en faire autant, avec peine.

— Ça va, Tommy ?

Il a hoché la tête aussi nettement qu'il le pouvait.

— Maman est là. Ty et Little Brew vont revenir demain matin. Tout va bien se passer ; tu as seulement avalé de l'eau, beaucoup d'eau.

Il a encore fait un signe de tête.

— J'ai vu un requin. Au moment où nous arrivions près du bord, il est passé juste sous le Jet-Ski. C'était un grand blanc.

Ses yeux se sont agrandis.

Je n'ai plus rien dit ; je me suis contentée de le regarder. Il a fermé les yeux et a paru s'assoupir, puis il les a ouverts de nouveau. J'ai fait l'inventaire de notre liste en langues des signes pour être sûre qu'il se sentait bien, qu'il respirait facilement. Vers la fin, notre mère s'est réveillée. Elle a écarté ses cheveux pour poser ses lèvres sur son front. C'est son moyen à elle de savoir s'il a de la température.

— Il est un peu chaud, a-t-elle déclaré. Tu as chaud, Tommy.

Il a fait signe qu'il se sentait bien.

— Tu as le front un peu chaud. Je vais demander à l'infirmière de venir voir. Pour le reste, tout va bien ?

— J'ai passé la liste en revue avec lui, j'ai dit. Elle n'en a pas tenu compte.

— Nous ne voulons pas risquer une poussée de fièvre en plus du reste...

Elle a pris un air malicieux pour ajouter :

— Nous ne sommes pas vraiment censées être là. Nous nous sommes glissées dans la chambre quand tout le monde a été parti. Mais ça ne m'empêchera pas d'aller chercher l'infirmière.

Elle a déposé un autre baiser sur ses cheveux et elle est sortie. Je tenais toujours la main de mon frère. Le respirateur soulevait sa poitrine à intervalles réguliers. On avait l'impression qu'un chat s'était caché sous son drap.

— Comme surfeur, tu déchires, j'ai dit.

Ses lèvres se sont retroussées en un sourire, et il a serré ma main.

*

M. Cotter est venu à l'aube.

C'était un peu bizarre de le voir là. Il paraissait familier, mais je ne l'ai pas reconnu immédiatement ; je devais être épuisée. Il s'est encadré dans la porte et il est resté là un instant, le temps que ses yeux s'habituent à la pénombre. Je me suis levée, mais il m'a fait signe de ne pas bouger.

— Comment va-t-il ? a-t-il murmuré.

— Il va aller très bien.

— Tant mieux ! Tant mieux !

Il a fait quelques pas vers le lit et il a souri à Tommy. De là où il était, il ne pouvait pas très bien voir si Tommy était réveillé ou non.

Il m'a regardé, toujours souriant.

— Alors, comme ça, il a fait du surf ?

— Oui, monsieur.

— Il n'y a pas eu de mal, c'est une bonne chose. Il va s'en souvenir, de son voyage !

— Il tenait absolument à essayer ; c'était important pour lui.

M. Cotter a hoché la tête.

— Votre mère est-elle ici ? J'aurai besoin de régler quelques détails d'ordre financier avec elle.

— Elle est allée se laver les mains, elle ne va pas tarder.

— Je crains que cette sortie en bateau n'ait été une déception pour votre frère.

— Vous avez fait tout ce que vous pouviez. Tommy est vraiment un grand passionné des requins.

— J'ai vu ça. C'était ce que je pouvais lui proposer de mieux.

— Il l'a beaucoup apprécié, vous pouvez me croire. Et nous avons vu une attaque de requin.

— C'est vrai, convint M. Cotter. Tout le monde ne peut pas en dire autant.

Ma mère est arrivée sur ces entrefaites ; elle et M. Cotter ont échangé des plaisanteries, et puis ils se sont éloignés pour discuter tranquillement. Une infirmière et un médecin sont venus enlever à Tommy son respirateur. Il avait des marques de gomme autour des lèvres, que l'infirmière a ôtées en tamponnant avec de l'alcool. Tommy faisait des grimaces d'enfant de deux ans à qui on essuie la bouche après le dîner.

Il s'est rendormi aussitôt. J'aurais voulu qu'il me parle et qu'il me répète que tout allait bien, mais j'ai fini par comprendre que ce n'était pas facile pour lui. Il avait vraiment l'air fatigué, et ses poumons faisaient le même bruit qu'un tuba de plongeur.

Maman est revenue. M. Cotter lui avait dit de me saluer ; il avait aussi promis de venir nous voir dans le New Hampshire.

— Il a été très généreux, a-t-elle dit en s'asseyant à côté du lit. Tout va s'arranger. La fondation a échangé notre billet d'avion, nous aurons une place sur le vol de demain. D'ici là, Tommy doit pouvoir voyager.

— Tant mieux, je suis désolée d'avoir causé tous ces soucis, maman.

— Tommy était encore assuré par la bourse Blue Moon hier. Naturellement, ils ont une excellente assurance santé ; ils vont se charger des frais médicaux.

Ensuite, maman s'est plongée dans un Sudoku. Je suis allée jusqu'à la salle d'attente pour regarder les magazines et j'ai choisi *US Weekly*. Ça paraissait dingue de s'intéresser aux robes que portait telle starlette à la première de son dernier film, ou de chercher à savoir si elle était enceinte ou avait perdu du poids. Je l'ai reposé tout de suite, et mon attention a été attirée par l'écran de télévision. Des gens en survêtement sautaient et couraient au long d'une espèce de parcours d'obstacles idiot. Ils tombaient sans arrêt. En pensant à Tommy qui ne pouvait pas faire une phrase complète sans perdre son souffle, ces épreuves bidon m'ont paru scandaleuses de bêtise. Je ne sais pas ce qui m'a prise, mais je me suis mise à pleurer. Je ne pouvais plus m'arrêter ; j'ai mis les mains devant mes yeux pour me cacher, mais il n'y avait rien à faire pour empêcher mes larmes de couler. Je sentais que je réagissais simplement au choc avec vingt-quatre heures de retard. Je le sentais, mais je pleurais aussi parce que j'avais vu qu'en une seconde, tout peut basculer. Mon cœur se serrait quand je me rappelais cette seconde-là.

J'ai pleuré un bon moment. Les gens allaient et venaient autour de moi ; ils pensaient sans doute que j'avais appris une mauvaise nouvelle ou perdu quelqu'un. Personne ne s'est attardé pour me regarder de plus près, et c'était mieux comme ça. J'ai fini par me calmer et par aller me passer de l'eau fraîche sur la figure dans la salle de bains. Je me suis recoiffée avec les doigts. Quand je suis sortie, j'ai rencontré Ty et Little Brew dans le couloir de l'entrée. Ils portaient entre eux la planche de surf marquée par l'empreinte des dents de requin.

— Hé, vous deux, qu'est-ce que vous faites ici à une heure pareille ?

Ils m'ont offert leur grand sourire.

— On vient voir Poney des neiges, a dit Little Brew.

Il a fait trois pas vers moi et s'est penché pour m'embrasser. C'était un baiser plein de bonheur et d'énergie, et je me suis sentie tout de suite beaucoup mieux.

— Et nous avons apporté ça, a ajouté Ty en montrant la planche. Nous avons pensé que ça l'aiderait à guérir.

— Et ça aussi ! Little Brew a brandi la sacoche qu'il portait à l'épaule. Il y a un film d'enfer là-dedans !

— Tu ne vas même pas le croire ! a lancé Ty à Tommy.

Ça m'a fait du bien de les voir arriver. Ça a fait du bien à tout le monde, parce qu'au fur et à mesure de leur progression dans le couloir, les gens s'arrêtaient pour examiner la planche et poser des questions. Un petit attroupement n'a pas tardé à se former, et il leur a fallu plusieurs minutes pour arriver dans le hall qui donnait sur l'entrée des chambres. Quand ils ont enfin pu atteindre la porte de celle de Tommy, ils l'ont trouvé réveillé, et assis. Il avait encore l'air frêle et épuisé, mais son visage s'est illuminé quand il a vu entrer Ty et Little Brew avec la planche. Ils l'ont posée en équilibre contre le pied du lit. Même maman s'est levée pour les saluer avec un sourire. C'était réconfortant de voir arriver ces beaux garçons bronzés qui sentaient bon le sel et la mer. C'était comme si une bouffée d'air frais pénétrait avec eux dans la chambre.

Maman les a pris dans ses bras ; c'était un geste affectueux, et j'ai vu qu'il était sincère. Ty et Little Brew se sont assis sur le lit de Tommy. Ils n'ont ennuyé personne avec une liste de questions sur son état de santé.

— Mais qu'est-ce que vous faites, les mecs ? a demandé Tommy. Tu n'es pas censé être en cours, L.B. ?

— On vient prendre de tes nouvelles d'abord, Poney des neiges. Et mon grand frère a un cadeau pour toi.

Les yeux de Tommy ont menacé de lui sortir de la tête. Il a regardé Ty.

— C'est une blague ?

— Il est temps que je m'en sépare. Ça fait trop longtemps que je m'accroche à cette planche. Tu vas la garder un moment, d'accord ? Si je veux la récupérer, je saurai où te trouver.

— Sérieux ?

Ty a hoché la tête pour confirmer qu'il était parfaitement sérieux. Tommy a essayé de refaire le *check*, la salutation compliquée que les garçons lui avaient apprise la veille. Il s'est un peu emmêlé dans les étapes, mais ils l'ont suivi quand même. Ensuite, il leur a demandé de porter la planche jusqu'à la tête du lit pour qu'il puisse la toucher. Il a expliqué toute l'histoire à notre mère, qui, pour la première fois, a vu de ses yeux les ravages provoqués par une mâchoire de requin. Elle a effleuré la marque du bout des doigts en écoutant attentivement les explications de Tommy. Il lui a tout raconté, comment Ty s'était trouvé projeté en l'air et comment il était revenu à la nage sans une égratignure. Ty l'écoutait sans rien dire.

— Et ce n'est pas tout, a dit Little Brew quand Tommy eut terminé. Regarde ça !

— Je vais baisser les stores pour qu'on voie mieux, a annoncé Ty.

Il s'est un peu débattu avec les cordons et enfin la pénombre s'est installée dans la pièce. Nous nous sommes tous regroupés près de la tête du lit, autour de Tommy. Little Brew s'est perché en travers du lit, en biais pour que tout le monde puisse voir l'écran minuscule attaché à la caméra.

Il a poussé le bouton *Play* et nous avons vu apparaître les images de la veille, telles qu'Ollie les avait prises. Après un début un peu agité, l'image s'est recentrée sur le groupe de surfeurs qui guettaient les vagues. Willy a pris la première, parfaite jusqu'à la fin, puis c'était au tour de Ty seul. Ollie avait monté habilement les séquences et chacune se fondait dans la suivante avec naturel. Ensuite, je me suis reconnue, sautant à l'eau du Jet. Ollie m'avait prise en gros plan en train de monter sur la planche de Ty et passait directement à la descente sur l'épaule de la vague. C'était plutôt spectaculaire : il l'avait montée au ralenti et l'on voyait chaque détail de la trajectoire. La vague se recourbait au-dessus de nos têtes, menaçante, et finissait par s'abattre. J'ai vu mon visage illuminé par un sourire radieux, et pour une fois, j'ai bien aimé mon image sur un écran.

— Regardez Bee's Knees ! s'est exclamé Tommy, une vraie surfeuse californienne !

Je lui ai souri et il m'a rendu mon sourire. Jamais je ne lui avais vu un air aussi parfaitement heureux.

Le film continuait avec la descente de Tommy et Ty. J'ai fermé les yeux quand la vague s'est écrasée sur eux en les engloutissant dans un torrent d'écume, mais Little Brew a rembobiné la scène que nous avons revue plusieurs fois. La joie qui éclatait sur le visage de Tommy, accroché à Ty, ne laissait aucun doute. Little Brew a levé les yeux vers Ty et s'est mis à rire.

— Je savais que vous n'alliez pas le voir !

— Voir quoi ? demanda maman.

— L'aileron de requin.

— C'est *peut-être* un aileron, corrigea Ty. C'est difficile d'en être sûr.

Je me suis tournée vers Little Brew.

— De quoi vous parlez ?

Ils nous ont montré. Il a fallu revenir en arrière plusieurs fois pour arriver au point voulu mais Little Brew a fini par faire un arrêt sur image à l'endroit précis où Tommy et Ty disparaissaient sous une montagne d'écume. J'ai bien examiné l'image, sans rien remarquer. Maman s'est penchée sur l'écran et a hoché la tête ; même Tommy ne voyait rien.

— Je ne l'avais pas vue moi non plus, expliqua Little Brew. C'est Ollie qui l'a découvert en montant le film. Regardez, là, dans l'angle.

Tommy s'est penché encore.

— Je le vois maintenant ! Waouh ! Il est énorme !

Il posait son doigt dessus, et j'ai fini par le distinguer moi aussi. Un aileron, peut-être pas, mais un point noir, oui, qui aurait pu être un morceau de bois flotté ou une ombre de la vague. Mais quoi que ce soit, ça paraissait noir, et pointu ; la pointe était orientée vers Ty et Tommy. Si c'était bien un requin, il avait dû passer sous leur planche ; il avait peut-être perdu leur trace dans le bouillonnement d'écume. Je ne voulais pas y penser, mais ça n'avait pas d'importance : Tommy, lui, était convaincu. Il se tourna vers moi pour me regarder, les yeux brillants d'excitation, la bouche ouverte. Il s'était trouvé dans l'eau avec un grand requin blanc ! Rien d'autre n'avait d'importance.

— C'est un grand blanc, a-t-il décrété. Ce doit être celui que tu as vu, Bee !

— C'est très probable, approuva Little Brew, c'est la seule chose logique.

Je ne savais pas s'il était vraiment sûr de lui ou non.

— Alors, vous êtes en train de me dire, conclut maman en ébouriffant les cheveux de Tommy, que vous avez mis mon fils à l'eau en compagnie d'un grand requin blanc ?

Elle souriait de toutes ses dents, mais sa voix était tendue.

— Et aussi ta fille, j'ai ajouté.

— J'y crois pas, s'écria Tommy qui semblait prêt à bondir sur le lit dans son enthousiasme, j'y crois pas !

— Ce n'est pas tout, conclut Little Brew. Ce requin, c'était toi qu'il chassait !

— Il voulait des sushis de Tommy, poursuivit Ty, un petit rouleau de Poney des neiges.

Tommy ne pouvait plus se contenir ; il se lança dans une espèce de petite danse du ventre sur son lit. Je ne l'avais presque jamais vu dans un état pareil.

— Il était en chasse ! Bee l'a vu aussi. Il venait pour nous !

— Jamais de ma vie je n'irai me baigner dans le Pacifique ! s'écria maman.

— C'est si raaaaaare ! dit Tommy, une chance sur cent millions !

— Oui, tu as une meilleure chance de gagner à la loterie, mon vieux, dit Ty. Crois-moi, je sais, je suis passé par là.

Tommy leur a demandé de rembobiner le film à peu près un million de fois. Ma mère et moi sommes allées commander des pizzas pour le petit déjeuner à la cafétéria de l'hôpital, et quand nous sommes revenues dans la chambre, nous avons trouvé un petit groupe d'infirmières qui s'étaient jointes aux garçons pour regarder la vidéo elles aussi. Tommy était fou de joie. Une infirmière a fait remarquer qu'il fallait envoyer le film à une chaîne télévisée d'actualités régionales. Little Brew était d'accord ; il a dit qu'Ollie de son côté, l'avait déjà mis sur YouTube.

— Poney des neiges est en train de nager avec son nouveau pote, a ajouté Little Brew, il te cherchait, ce requin, mec !

— Tu as un drôle de *mojo* avec les requins, a fait remarquer Tommy à Ty. Tu les attires comme un aimant !

Il ne semblait plus du tout fatigué.

— Bee a dit que ce n'était pas un bébé, non plus : il faisait au moins trois fois la taille du Jet.

Nous avons continué à regarder en dévorant nos pizzas. Ollie avait filmé des scènes de surf plus anciennes ; les figures étaient impeccables, les garçons descendaient et virevoltaient sur l'eau comme en apesanteur. La bande-son, essentiellement *hard rock*, donnait aux images un caractère dramatique et un peu oppressant qui s'évanouissait quand le *metal* laissait la place à une musique hawaïenne. Alors, toute la poésie et la beauté des images éclataient. Ollie avait montré un vrai talent à la prise de vue et au montage ; on ne pouvait pas détacher ses yeux de l'écran.

Les pizzas terminées, Ty et Little Brew se préparèrent à partir.

— Vous allez m'envoyer le film, hein ? a demandé Tommy.

— Bien sûr, Poney des neiges. On te l'envoie cette semaine.

— De toute façon, tu es déjà une star sur YouTube, ajouta Little Brew. Le clip est en train de se répandre comme un virus.

Tommy ne répondit rien. Il était parfaitement clair qu'il n'avait pas envie de les voir partir. Moi non plus, d'ailleurs, je n'en avais aucune envie. Mais les médecins nous avaient donné l'autorisation d'emmener Tommy dans l'après-midi. Dès que les formalités seraient réglées, nous partirions pour San Francisco. Il valait mieux ne pas traîner. Maman a tout fait pour que les adieux soient moins pénibles ; elle a souri patiemment pendant que les garçons allaient jusqu'au bout de leur rituel doigts écartés/poing fermé/petit coup sur l'épaule.

— Je sais que vous avez fait le maximum pour moi, les mecs, a dit Tommy. Je veux que vous le sachiez : j'ai vraiment apprécié tout ce que vous avez fait.

— C'est moi qui suis heureux d'avoir enfin fait ta connaissance, a dit Ty.

— Hier était le plus beau jour de ma vie, a dit Tommy.

Ça sonnait vrai : Tommy n'avait jamais eu peur d'exposer sa vulnérabilité.

— Je vous accompagne jusqu'à la porte, j'ai dit. J'ai besoin d'air.

Ils ont serré Tommy dans leurs bras à tour de rôle, puis ils ont embrassé maman. En partant, Ty a effleuré son surf une dernière fois. Deux surfeurs californiens. Deux jeunes dieux de la mer étaient devenus les meilleurs amis de Tommy – et sans doute ses seuls amis.

— J'ai fait ça pour toi, a dit Little Brew en me tendant quelque chose.

C'était un collier de chanvre tressé orné d'un cauri et de deux perles bleu-gris comme l'océan.

— C'est pour que tu n'oublies pas la Californie.

— Je me souviendrai toujours de la Californie.

— Et aussi de moi, j'espère...

— Et de toi, aussi. Surtout de toi.

J'ai posé le collier sur mon cou et je lui ai tourné le dos pour qu'il attache le fermoir. Ses mains m'ont effleuré la nuque. Je me suis tournée vers lui.

— Merci, Little Brew. Merci pour tout.

— Je suis content que nous nous soyons rencontrés, Bee. Je viendrai peut-être te voir dans le New Hampshire un jour ? Un de mes oncles habite Boston.

— Ce serait génial ; et moi aussi, je pourrais revenir te voir.

Il a souri.

— Et en attendant, on a les mails.

Il m'a attirée à lui et m'a embrassée. C'était l'un de ces baisers parfaits : tendre, doux, passionné. Impossible à interrompre. Quand nous nous sommes enfin séparés, j'avais encore du mal à croire que ce garçon tellement beau venait de me prendre dans ses bras.

Ty était déjà dans le minibus. Je lui ai fait un grand signe de la main, qu'il m'a rendu. Little Brew est allé s'installer sur le siège passager. Ils avaient deux planches de surf attachées sur le toit ce jour-là. Quand ils ont démarré, Little Brew s'est penché vers la portière pour crier quelque chose ; je n'ai pas compris, mais j'ai continué à agiter la main pour dire adieu. J'avais le soleil dans les yeux. C'est seulement après leur départ que j'ai reconstitué ce que m'avait dit Little Brew.

Garde les yeux vers le ciel : il me rappelait notre nuit passée à observer les étoiles.

MERCREDI

Un nageur a été tué par un requin le lendemain. C'est arrivé plus au sud, à des kilomètres de Mavericks, et c'était la première mort par blessure de requin dans la région de San Diego depuis plus d'un demi-siècle. Les experts ont déclaré qu'il s'agissait d'un grand blanc. Un groupe de nageurs semi-professionnels qui s'entraînaient pour un marathon s'était mis à l'eau dès l'aube. Le dernier parti a brusquement été projeté dans les airs et on l'a entendu hurler : « Requins ! »

Il a tout de suite disparu. Deux de ses compagnons sont allés à son secours ; ils ont réussi à le ramener vers la plage, mais c'était trop tard :

il avait perdu une jambe. À tout instant, ils s'attendaient à revoir le requin et à être attaqués à nouveau, mais il n'a pas réapparu.

Ils ont tiré la victime à l'abri près des rochers et l'un d'eux a couru alerter les sauveteurs, qui sont arrivés tout de suite avec une civière. Mais l'homme était déjà mort : avec une artère sectionnée, il s'était très vite vidé de son sang. Les autorités ont fermé la plage et envoyé des hélicoptères pour essayer de retrouver le requin. Toute la côte a été mise en état d'alerte, parce qu'on pouvait s'attendre à de nouvelles attaques de grands blancs. La plupart des témoins ont pensé que la bête avait pris le nageur en combinaison pour un phoque. Typiquement, il s'était attaqué au dernier du groupe ; il avait foncé sur lui depuis les profondeurs à un angle de quatre-vingt-dix degrés.

À la télévision, le reporter avait insisté sur la rareté d'une attaque de ce genre. C'était un jeune homme, qui se tenait sur la plage, près de l'eau, en chemisette ouverte au col. Il regardait souvent par-dessus son épaule comme s'il s'attendait à voir apparaître un requin. Il avait l'air plutôt content de se trouver sur la terre ferme, avec le vent marin qui lui balayait les cheveux.

Nous avons regardé les nouvelles sur un écran à l'aéroport. Tommy avait procédé lui-même à l'enregistrement de son surf. Tous ceux qui nous avaient vus passer avaient voulu nous poser des questions à propos des marques de dents. Tommy éclatait de fierté en les montrant et en expliquant ce qui s'était passé. Tout le monde voulait toucher les marques. Tommy et Ty et les requins étaient liés, d'une certaine façon, et ce lien créait sans cesse de nouvelles connexions.

Avant d'accepter de se séparer de sa planche, Tommy avait surveillé son emballage soigneux dans plusieurs épaisseurs de plastique à bulles et de polystyrène. Il n'était pas question qu'elle arrive enfoncée sur la côte est. Enfin, il s'est déclaré satisfait.

Il a regardé l'hôtesse déposer la planche sur le tapis roulant réservé aux objets encombrants. Tout au bout, la planche a basculé derrière un écran de caoutchouc noir.

Une fois passés les contrôles avant l'embarquement, nous avons trouvé un restaurant qui proposait des sandwiches au poulet, et c'est là que nous avons appris la nouvelle. Maman tournait le dos à l'écran de télévision. Quand elle nous a vus regarder la bouche ouverte, paralysés, elle s'est retournée.

— Mon Dieu ! Vous pensez que c'était le même requin ?

— Ça se pourrait, a dit Tommy. On ne le saura jamais.

— Mais il serait capable d'aller si loin en si peu de temps ?

— Sans doute pas ; c'est probablement une coïncidence. Mais c'est bizarre, quand même. Je me demande si Ty et Little Brew en ont entendu parler.

Je regardais alternativement Tommy et l'écran. Je voyais que cette attaque l'affectait d'une manière très différente. Pour lui, elle n'avait plus rien de théorique. Il avait côtoyé un requin au beau milieu de l'océan, par une houle géante et à des milliers de mètres de profondeur. La bête terrifiante avait rôdé autour de ses jambes. Il a abandonné son sandwich.

— C'est vraiment bizarre, surtout après ce qui nous est arrivé...

— Ça aurait pu être l'un de vous deux, a chuchoté maman. C'est ça qui me frappe, moi.

— C'est leur saison de chasse, a dit Tommy. Ils ont besoin de prendre du poids, c'est une question de survie pour eux. On ne peut pas leur en vouloir ; ils ne font que ce qu'ils ont besoin de faire pour rester en vie.

— Oui, mais imagine, être dévoré vivant... a poursuivi maman.

— Je ne veux pas penser à ce pauvre nageur, à la terreur qu'il a dû ressentir, j'ai ajouté.

— Mais les requins aussi ont le droit d'exister. Quand on pénètre dans l'océan, on va dans leur monde. Ils ne viennent pas sur la plage manger les touristes, c'est nous qui allons chez eux. Et puis, quand votre moment est venu, eh bien, votre moment est venu.

Maman m'a jeté un coup d'œil. Elle se demandait si Tommy ne venait pas de nous confier quelque chose d'important sur lui-même. Je me le demandais aussi.

Nous n'avons plus rien dit, et nous n'avons pas vu de nouvelles dépêches sur l'attaque de San Diego.

— Tu es fatigué ? j'ai demandé à Tommy.

Nous survolions les États du Midwest. Il faisait nuit. Maman dormait de l'autre côté de l'allée. Cette fois, elle n'avait flirté avec personne. Elle avait joué au Sudoku jusqu'au Nebraska, et puis elle s'était endormie.

Tommy n'a pas répondu. Il regardait par le hublot. On ne voyait pas grand-chose, mais les lumières rouges de l'aile éclairaient son visage par intermittence. Il avait à peine touché au sac de cacahuètes qu'il gardait sur les genoux.

— Le surf va changer complètement la déco de ta chambre ! Tu sais déjà où tu vas le mettre ? Au-dessus de ton lit, ce serait bien, non ?

Il n'a pas répondu. Ça ne lui ressemblait pas de broyer du noir. J'ai posé une main sur son genou, et il a tourné la tête vers moi. Il avait les yeux pleins de larmes.

— Qu'est-ce qu'il y a ? j'ai demandé, surprise.

— Mais c'est fini, maintenant. Je n'ai plus rien à attendre.

— Il y aura d'autres choses ! Des tas d'autres choses !

— Peut-être. Mais là, tout de suite, ça fait bizarre.

Il s'est tourné vers le hublot pour que je ne voie plus son visage, mais au bout d'un moment, il a repris la conversation :

— Merci de tout ce que tu as fait, Bee. Personne ne pouvait comprendre, à part toi.

— Tu es mon petit frère et je t'adore. Je ferai toujours ce que je pourrai pour toi.

— Oui, mais quand même. Tu ne demandes jamais rien pour toi. Un jour, j'aimerais bien faire quelque chose qui te fasse plaisir.

— Mais tu fais beaucoup pour moi, Tommy.

— Je veux dire, une aventure. Quelque chose comme ce qui vient de se passer. Personne ne fait vraiment assez attention à toi parce que tout le monde s'occupe de moi, à cause de ma maladie.

— Je crois que j'ai eu mon aventure, moi aussi, tu sais. C'est sérieux, ce que je te dis.

— Tu parles de Little Brew ?

Tommy a fait une grimace de clown en remuant les sourcils, et je lui ai donné un coup d'épaule.

— Little Brew ne t'aurait pas donné ce collier si tu ne lui plaisais pas vraiment. Il ne joue pas, ce mec. Ty m'a dit qu'il ne fait jamais aucun effort pour aucune fille.

— Je parie que les filles font des efforts pour lui !

Tommy s'est mis à rire.

— Oui, sans doute, toutes celles qui ne sont pas aveugles !

— Il est vraiment superbe.

— Toi aussi tu es superbe, Bee. Vous allez vous envoyer des mails ?

— Bien sûr. Et j'espère bien le revoir.

— Dis que tu *vas* le revoir, et ça marchera. Je voulais voir un requin, et je l'ai fait. Si tu souhaites quelque chose très fort, tu lui donnes des chances d'arriver.

Nous nous sommes tus. Un peu plus tard, Tommy a murmuré qu'il ne savait pas ce qui l'attirait tellement chez les requins, et que ça n'avait pas d'importance. Il ne fallait pas toujours chercher à expliquer pourquoi on aimait telle ou telle chose. L'amour nage dans les profondeurs, comme un requin ; quelquefois il peut blesser lui aussi, mais personne ne voudrait d'un monde sans amour. Il m'a raconté que la nuit, souvent, il rêvait de requins fendant les eaux en triangle, maintenus en équilibre par leurs nageoires pectorales. Il lui arrive d'imaginer l'univers du point de vue du requin, qui n'a pour horizon que le fond des mers. Il se voit lui-même comme un être en mouvement permanent, et comme eux toujours en chasse, toujours en quête de quelque chose, au milieu d'une mer impénétrable traversée parfois par un reflet fugitif. Il m'a dit encore que s'il aime les requins, c'est parce que sa maladie rend les gens méfiants, comme s'ils avaient peur de la contagion. De même, quand un requin nage à proximité d'une colonie de phoques, c'est la débandade, tous les animaux s'enfuient, pas seulement parce qu'ils craignent pour leur vie, mais parce que le requin est d'une espèce différente de la leur, une espèce qui les menace par sa nature même. Mais lui, Tommy, n'a jamais eu peur des requins. Il se sentait comme eux, isolé et marqué au milieu des hommes par la nature de sa maladie. C'était pourquoi la rencontre avec Ty et Little Brew avait été si importante. Pendant une journée entière, une journée remplie à ras bord, il avait laissé tomber sa peau de requin sur le sable de la plage. Il l'avait abandonnée là, et il s'était dressé sur la planche de surf, pour une fois un garçon comme les autres, un surfeur, jeune et triomphant.

C'est à peu près comme ça qu'il me l'a raconté, à voix basse, dans l'avion qui filait à travers la nuit. J'avais passé un bras autour de ses épaules, et nous avons survolé l'un après l'autre tous les États endormis jusqu'au New Hampshire.

POSTFACE

Quand j'étais en quatrième, je suis tombé un jour sur un livre qui racontait une série d'accidents liés à des requins près des côtes du New Jersey, là où je grandissais. C'est comme ça que ma passion des requins est née. Un jour, j'en ai vu un depuis la jetée de Point Pleasant. Il suivait un bateau de pêche qui rentrait au port, et c'était fascinant de voir l'aileron fendre l'eau, de deviner les mouvements fluides de la queue. Il dévorait les restes de la pêche qu'un marin jetait par-dessus bord. Je n'en suis pas particulièrement fier, mais je dois avouer que j'aime bien lire les récits de requins attaquant des humains. Je ne sais pas pourquoi je trouve ça tellement excitant, mais ce que je sais, c'est que je ne suis pas le seul à les apprécier. Il n'y a qu'à voir le succès de films comme *Les Dents de la mer* ou *En eaux profondes,* ou de documentaires comme ceux de la *Semaine des requins* sur Discovery Channel pour saisir l'ampleur de notre fascination pour ces grands prédateurs.

Mais si nous aimons les requins, ou si nous les trouvons intéressants à étudier, il faut bien garder à l'esprit que les hommes tuent beaucoup plus de requins que l'inverse. On dit souvent qu'on a à peu près autant de chances de mourir mordu par un requin que tué par la chute d'une noix de coco. Naturellement, ces chances augmentent avec le nombre toujours plus grand de personnes qui se trouvent dans le territoire naturel des requins : les plongeurs, nageurs de fond, surfeurs et adeptes du kayak ou du bodyboard. Malgré cela, les requins ont plus à souffrir de notre nature de prédateurs que nous n'avons à souffrir de la leur. Pris au piège dans des filets de pêche à la fréquence estimée de plusieurs centaines par minute, tués pour le sport ou pour satisfaire la demande d'ailerons qu'on cuisinera en soupe, ils sont menacés de tous les côtés. Leur population diminue de façon tragique. Nous aimons toujours les images spectaculaires de requins chassant le phoque au large des côtes de l'Afrique du Sud, mais nous savons peu de choses sur les dangers qu'ils courent par notre faute. La semaine des requins, en d'autres termes, est quelque chose de bien plus sinistre qu'on ne croit.

J'espère que ce roman pourra nous rappeler nos obligations face aux animaux qui nous entourent. L'amour et l'admiration que Tommy éprouve pour les requins sauront peut-être nous les montrer comme lui les voit, sous un jour différent. Un requin s'occupe de ses affaires ; si un nageur se trouve sur son chemin, c'est terrible, mais ce n'est pas de sa faute. Les requins ne sont pas des monstres, ce sont nos compagnons sur cette planète.

On a déjà affirmé qu'un monde d'où les tigres auraient disparu ne serait plus vraiment un monde. Je pense qu'on peut dire la même chose des requins.

REMERCIEMENTS

Je dois beaucoup à Susan Casey dont je recommande le livre *The Devil's Teeth*. Son compte rendu d'une expédition aux îles Farallon m'a aidé à mettre en place le décor et l'atmosphère de ce roman. Les informations de Tommy sur les requins sont souvent directement tirées de son ouvrage.

Je suis très reconnaissant à mon éditrice Françoise Bui pour sa lecture, ses précieux commentaires et ses suggestions. Merci également à mes agents et amis Christina Hogrebe et Andrea Cirillo, qui m'ont aidé à creuser les personnages et l'intrigue. C'était un grand plaisir de travailler avec eux.

Et enfin, à ma femme Wendy, qui est toujours ma première lectrice, merci pour tout.

TABLE DES MATIÈRES

CET OUVRAGE
A ÉTÉ ACHEVÉ D'IMPRIMER
SUR CAMERON
PAR L'IMPRIMERIE NIIAG
À BERGAME (ITALIE)
EN JUILLET 2012

Composé par Nord Compo multimédia
7, rue de Fives, 59650 Villeneuve-d'Ascq

Dépôt légal : août 2012
N° d'édition : L.01EJEN000884. N001
Loi n° 49-956 du 16 juillet 1949
sur les publications destinées à la jeunesse